S0-BIE-742

gli elefanti
poesia

Antonia Pozzi a Pasturo, estate 1936.

ANTONIA POZZI

Parole

a cura di Alessandra Cenni e Onorina Dino

GARZANTI

In questa collana
Prima edizione: maggio 2001

ISBN 88-11-66926-X

Printed in Italy

www.garzantilibri.it

PREFAZIONE

In ricordo di Clelia Abate

Antonia Pozzi, nata a Milano nel 1912, aveva riflettuto a lungo sull'enigma di Tonio Kröger, se l'artista, cioè, non sia "colui che non arriva alla vita, ma colui che va oltre la vita". Ne conclude che "non si può cogliere una fogliolina sola dell'alloro dell'arte *sans la payer de sa vie*".

Scriveva: "Vivo della poesia come le vene vivono del sangue" e troncò la sua vita all'età di 26 anni. Dobbiamo pensare, dunque, che la caduta nel linguaggio non sia bastata a renderle meno invivibile la vita, riscattandola nella parola e, dopo, a trasformare il caso letterario in un'opera di testimonianza, senza ridondanza tragica?

Piuttosto che porsi come gesto assoluto, oblativo, la vita invivibile di Antonia si è consegnata all'umiltà dell'ascolto. L'attuale fiorire di studi critici, l'interesse dei lettori giovani intorno a questa coraggiosa figura di donna e poeta, comprova la necessità del recupero della radicalità del fare poesia al nostro presente. Se per Montaigne, far filosofia è insegnare a morire, far poesia è appartenere ugualmente alla morte e alla vita, così com'è accaduto ad Antonia, la cui "Vita Sognata" è racchiusa in pura circonferenza.

Ricchi di un'esperienza critica di cui non portano il peso, questi versi entrano nel vivo delle problematiche contemporanee, come se dessero per superflue le implicazioni che possano accrescerne l'ingombro. "Asciutte e dure come sassi o vestite di veli bianchi strappati", come lei stessa le definisce, le parole sono semplici nomi di cose, ma nitide e assottigliate d'ogni onere, se non quello della propria ombra, come il colore rotondo dà sostanza compatta alla mela di Cézanne.

Incoronate dal silenzio, maturate nella solitudine, secondo la disciplina insegnata anche da Rilke al giovane poeta, ci rammentano come ogni parola debba lottare per conservare quel "sapore massimo" dato dal connubio tra estrema leggerezza e forte radicamento.

A dieci anni dalla prima edizione completa, siamo legittimati nel riconoscere che la poesia di Antonia Pozzi abbia avuto la sua vittoria sul tempo, come aveva profetizzato Eugenio Montale, preannunciando già nel 1948 la permanenza di questa timida ma duratura ghirlanda di versi, *for ever young*.

Sfida ogni indifferente silenzio, di fatto, la storia di questa "giovinezza che non trova scampo" o lo cerca in poesia, non per varchi o passaggi di frontiera oltre la soglia fenomenica, piuttosto in dialogo perenne con voci che provengono dalla bocca dell'ombra insistenti come richiami di Persefone.

Per l'esperienza sbrecciata, la vita si tuffa oltre la vita.

Fuggita dalla scuola ove insegna, con un unico volo della sua bicicletta, quel gelido mattino d'autunno, Antonia raggiunge il termine della città, tra i campi umbratili a ridosso della periferia industriale, l'ingorgo dei binari e il miraggio dell'antica abbazia.

Anche dopo la tragica morte, la sua libertà, la sua integrità, vengono violate.

Il testamento distrutto, i fogli di poesia intaccati da pesanti interventi correttivi o censori, le lettere bruciate. Ma non le era già stato impedito di vivere in pienezza, alle soglie della maturità affettiva, quel grande e nobile amore per Antonio Maria Cervi, il suo professore di lettere classiche? Non fu quella la prima incancellabile ferita inferta alla sua libertà morale, che posò un'ombra indelebile sull'attesa dell'amore, sempre rinviata perché incolmabile?

Inadattabile alla vita per eccesso di vita, vi si gettava con generoso gesto esistenziale, per una sfida intellettuale, sempre tra pudore ed effusioni.

Come padiglioni sulle dune, gli esili miti si collocano in dimensioni riconoscibili e insieme indeterminate, sul fondale del paesaggio lombardo di pianure fossati casolari, distesi senza soluzione di continuità o dei monti specchiantesi nei laghi, nominati dalla Pozzi con l'analoga sprezzatura ironica che faceva dire alla Dickinson: "L'infinito ha la latitudine di casa".

La toponomastica dell'itinerario esistenziale è circoscrivibile: la Lombardia, appunto, dalle verdi sponde del Ticino alle valli montane di Lecco. A partire dal 1917, Pasturo diventa il vero rifugio di Antonia, dove ama ritirarsi per leggere, scrivere, esplorare i sentieri che, tra boschi di aceri e abeti, conducono fino alle cime della Grigna. Lì, nella villa settecentesca acquistata dalla famiglia, ha un suo studiolo, con vista sui prati dove scorre la Pioverna, da cui si ammira la montagna indorarsi all'alba di ogni stagione. Non è Vaucluse, serba un fascino modesto, ma intenso, per la miracolosa concentrazione di pace e di silenzi, preziosa a chiunque vi sia passato anche solo per poche ore.

Nell'abbraccio delle sue montagne, ha tante volte ritrovato la strada perduta: il senso di una vocazione minacciata, l'armonia in una personalità lacerata, l'ordito paziente degli studi e delle letture ed ora vi riposa per sempre, sotto due grandi massi della Grigna, come aveva desiderato.

Questo luogo ha il potere di cauterizzare le sue ferite e di elevare le ambizioni e le speranze suscitate dagli ambienti cittadini in un'atmosfera rarefatta, che talvolta ne delinea l'inafferrabilità.

Antonia Pozzi aderisce con immediata espansione estetica a questo nativo universo di segni e li interpreta come racconti d'esperienze tra sottili elisioni di senso e affannose fughe all'interno di sé.

Il suo ambiente familiare, per discendenza matrilineare, conserva la memoria della cultura illuminista e romantica. Pronipote di Tommaso Grossi, progetta un grande romanzo d'ambiente che racconti la storia della terra e della sua gente tra Otto e Novecento. Non dimentica, infatti, della lezione di Flaubert, alla cui formazione giovanile aveva dedicato la bella tesi di laurea, Antonia intende fare, più che una storia di individui, un vasto affresco storico che li racchiuda, per poi sopraggiungere con la sua vicenda personale nelle ultime pagine, come farà Marguerite Yourcenar, a suggellare la continuità delle radici familiari nella linfa di molte esperienze successive.

Timida, arrossisce per un nonnulla, ma non rinuncia a una natura libera e indomita che le fa sentire come lacci intollerabili pregiudizi e convenzioni.

Con una madre distante, presa dagli impegni mondani, Antonia si avvicina al padre in un vincolo tipico di questi passaggi d'età. Antonia è la sua debolezza, il suo fiore all'occhiello: la vuole perfetta ed è pronto a concederle ogni cosa per compiacere il suo affetto autoritario. Sulla base del suo gusto scolastico per la poesia tradizionale, interverrà anche pesantemente sugli scritti della figlia, censurando tanta parte della sua storia intima, mentre si occupa di dare alle stampe il suo diario in poesia, portandolo a conoscenza di amici illustri, traduttori e critici.

La Milano frequentata dai Pozzi, dalle passeggiate al Corso al palco della Scala, aveva conservato qualcosa della scintillante eleganza e spregiudicatezza che piacque a Stendhal e Montesquieu, ma nei salotti, nei ritrovi della classe agiata, cominciava a essere ostentata l'intolleranza che faceva orrore ai Beccaria. La città, che era già stata illuminista e giansenista e socialista, ora disponeva le sue strade alle metamorfosi urbanistiche volute dal regime; tagliava i suoi legami profondi e storici con le vie d'acqua per divenire metropoli tentacolare ed efficiente.

Come rispondendo all'imposizione degli abiti di scena indossati per onorare i privilegi atavici, Antonia si stringe a immagini di purezza ed essenzialità che solo con la povertà hanno a che fare. Anche negli occhi e nel sorriso di Antonia, c'è quella famosa "solitudine / che si sente unicamente nelle grandi città", che Emanuel Carnevali ha letto da poeta nelle ragazze di Milano.

La particolare inclinazione alla realtà, la "scienza dell'immagine", confermata anche dal suo interesse per la fotografia, l'avvicina ai poeti della cosiddetta "linea lombarda" che, nell'accorto esercizio critico, nell'esame delle ragioni esistenziali, intendevano catturare la sostanza delle cose "per trovare una giustificazione al vedere" (dirà Contini nel '39, trasmettendo il significato di questa particolare sensibilità).

Camminando sulla linea di "Corrente", la rivista di giovani intellettuali poi soppressa dal fascismo, soprattutto a fianco di Vittorio Sereni, prende le distanze dall'ermetismo, come "da una forma di arbitrarietà intuitiva che non ha più un metro cui confrontarsi, nell'oggettività dell'espressione e la poesia pare, oggi, distolta dalla pienezza della realtà umana e ha ormai solo carattere di evasione e rifugio interiore, non più di compensazione e risoluzione della vita completa" (scrive nel suo *Flaubert*). Anche Pozzi crede, infatti, in una poesia di valore etico ed esistenziale e cerca nella letteratura la profonda risoluzione di un problema vitale. La poesia pozziana è stata sottratta credo definitivamente alla mistica di una consumazione prematura, di un *cupio dissolvi* che ne avrebbe segnato il destino fin dagli esordi, quasi fosse dettatura di uno "stato di grazia" e non il prodotto di una personale ricerca da accostarsi ad analoghe esperienze contemporanee. Dove una critica avvertita può indicare, dietro l'apparente semplicità dei mezzi, le risorse dissimulate del mestiere, certo fatalmente delimitato dalla parabola breve della vita.

"Forse l'età delle parole è finita per sempre", scrive a Vittorio

Sereni nell'imminenza del silenzio definitivo: la "corazza di Ariel", l'aereo alone salvificante di poesia, si è infranto contro la violenza storica, mostrando tutta la sua fragilità numinosa.

In un rifrangersi sempre più complesso di esperienze, Antonia Pozzi si appresta a connettere la problematica gnoseologica ai contrasti del suo spirito. Confronta il suo "disordine" lirico, così indecentemente femminile, alla razionalità ironica e pragmatica dei suoi compagni d'Università che, dietro l'insegnamento di Antonio Banfi, cercano nuovi fondamenti esistenziali in una filosofia aperta e antidogmatica. Banfi, con cui la Pozzi si laurea in Estetica, conduce i suoi allievi (tra cui, oltre a Sereni, Remo Cantoni, Enzo Paci, Dino Formaggio, Ottavia e Clelia Abate) a una appassionata vocazione alla conoscenza, attribuendo il metodo razionale alla dialettica della vita, all'esperienza estetica come sintesi morale della civiltà.

Le testimonianze di questi giovani sono i sussulti della memoria storica e fanno un solo grande libro, il libro di questa "giovinezza che non trova scampo" e delle sue invalicabili frontiere e delle sue trincee sanguinose.

Oltre a Rilke, Pound, Valéry, Eliot, in lingua originale e nelle traduzioni apparse su "Solaria" e "Frontespizio", Antonia legge i maestri della poesia italiana contemporanea: Ungaretti (*L'Allegria*, soprattutto) per il dominio intellettuale sulla tendenza visionaria; Montale, per il forte senso etico del suo esistenzialismo (e a Milano, ci sono, in quegli anni, anche Sinisgalli e Quasimodo).

Nell'oltrepassamento delle tematiche flaubertiane, evitando gli incagli del bovarismo, e piuttosto appoggiandosi alle amletiche certezze dei personaggi di Musil o di Mann, questi giovani insonni si distaccano dagli improvvidi sognatori dei paradisi perduti, allacciati alle figure di un valzer a coprire l'avanzata dei tamburi nelle tenebre.

Anche Antonia Pozzi, fedele alla lezione dell'oggettività, sui dati più ambigui e incontrollabili dell'esperienza, esercita un'attenzione razionale, nell'esplorazione anche linguistica di sempre più complessi sistemi simbolici.

Il registro espressivo procede generalmente su un doppio binario, orientato su differenti motivazioni tematiche. Montale aveva riscontrato una aerea "uniformità" d'immagine, ma più che una poesia monocorde, ci sembra che il lineare andamento paratattico sia costellato di originali scatti stilistici.

Già in alcuni componimenti adolescenziali si notava l'alternanza dei prediletti endecasillabi con versi d'inusuale brevità: forme chiuse e verso libero in apparenza senza intento programmatico. In uno stesso testo a versi di andamento iterativo, costruiti su sequenze lunghe (poi si fanno frequenti le spezzature dei versi altrimenti debordanti, gli enjambements d'influenza dannunziana a equilibrare, ridimensionandola, la misura del canto) succedono come accensioni subitanee i versi brevi (talvolta addirittura quadrisillabici) con aggregati simbolici e semantemi che la riconducono a un'area simbolista e postsimbolista.

Anche l'andamento strofico procede per giunture d'immagini correlative appoggiandosi sulla paratassi con effetto d'incantamento melodico. "Anima musicale", dunque, come fu detto, ma non "canora" come quella di Saba. Anche l'uso del trattino interpuntivo, che fu già rimproverato alla Dickinson, qui non porta l'acre puntura di quelle grandi battaglie spirituali, ma serve a scandire le composizioni con vibranti pause impressionistiche.

Le urgenze linguistiche condensano scelte tematiche dominate da alcune costellazioni simboliche. Analogamente, è possibile riconoscere, secondo una lettura antropologica dell'immaginario, l'elemento notturno, melanconico, dell'acqua prevalentemente dolce: delle fontane, della pioggia, delle lacrime, e, naturalmente, del lago, come "finita-infinità", che in una fluida circonferenza racchiude il blasone di Ofelia (rappresentato nella grande poesia da Poe a Huysmans, da Dickinson a Rilke).

Frequente un lessico di *sconfinamento*: "varchi... i confini" (*Don Chisciotte*); "esorbita il gesto serale" (*Come albero d'ombra*); segni indicanti un eccedere drammatico: "troppo", "ancora", "più" o figure protese nella fatica d'andare: "a prora un volto / d'attesa" (*Evasione*); e un lessico di *levitazione*: i ricorrenti tropi "vento", "voli", "alto", "lontano", si reincarnano nei correlativi isolati dei "campanili", delle "vette", dell'"allodola".

L'elevazione è impedita dai "pesi" terrestri che sciolgono le ali icariche; le molteplici prigioni del reale e il corpo stesso ("il volto", "le mani"), in un senso petrarchesco dell'impercettibile vanire del tempo ("la tua resa / segreta", *La vita*) inducono a cedere al destino dei gravi, al dissolvimento ultimo.

Sanguigne analogie surreali ("corolle violacee di spettri" in *Paura*, ma anche in *Amor fati*) hanno una gamma espressionista dal nero *perso* al porpora per macchie cromatiche e sonore. Fioriture naturali e inaccessibili crescono lungo strade allegoriche che eternamente salgono per una "fuga di cancelli / chiusi" (*Giardino chiuso*): un "viale bianco" (*Domani*), un "esile sentiero" dove è "libera / e sola per sempre" (*Incantesimi*). La coscienza conquistata assimila la solitaria ascesa di un rocciatore nell'erto silenzio all'iter del poeta, al *blanc souci* della sua tela (*A Emilio Comici*).

Se dominano, seguendo l'ansia di decantazione, i chiarismi verde-azzurri, lo screziato giardino sepolto che cela "un segreto di origini" (*Radici*), si riflette con suggestiva attitudine fiabesca negli "arcobaleni che giacciono / infranti nei laghi" (*Fiabe*) e si compone di una tavolozza di tocchi impressionisti e cromatismi di ampio ventaglio timbrico. Si apre un vero e proprio repertorio botanico utilizzato per le sue valenze tonali: dalle tinte compatte e a densa campitura alle *nuances* tipiche dei pittori laghisti. Per arrivare alla gamma ancora decisamente espressionista de *La Terra* e *La Porta che si chiude.* Nell'esegesi, infatti, deve soccorrerci, accanto allo studio delle affinità con la poetica musicale coeva (come certi cromatismi stravinskiani ed espressionisti), un'altrettanto necessaria convergenza con le poetiche figurative.

La fantasia delle forme si fa via via più surreale, con aggregati simbolici e semantemi che amalgamano influenze letterarie e figurative di diversissima estrazione, così che i suoi quadri poetici suggeriscono alla fine, nell'area simbolista, torbide visioni di Doblin più che il realismo sentimentale di Millet ("Belve chiare / guardarono dal folto / a lungo / il tramonto nell'acqua", *Incantesimi*). Le più interessanti sono le prove in cui evoca bizzarre associazioni, sussulti di una già matura coscienza artistica che sta per rivelare al mondo il suo lato oscuro, davvero inquietante, in sintonia con le angoscianti premonizioni dell'imminente catastrofe del secolo (*Come albero d'ombra*).

Alla fine, un rango astrale identifica l'irredimibile solitudine del poeta, una saffica Espero che getta raggi algidi ma inestinguibili sulla notte dei vivi (*Messaggio*).

Dunque, anche se gli ultimi testi sono contrassegnati dalla riflessione di morte, dall'incontro di un'Antigone moderna con l'ombra del non-finito, con il proprio sogno d'amore non nato e con se stessa bambina sola, con le voci e i fantasmi di un universo sotterraneo e i silenzi d'abisso, nebbie e fosse e croci; se ogni pagina dei suoi quaderni, fin dalle prime prove, sembra tendere verso quella fine, non dobbiamo giustificare il pensiero di morte con la sua effettiva realizzazione, oscurando l'altro volto di lei: il suo sensuale ardore di vita ("Per troppa vita che ho nel sangue / tremo / nel vasto inverno", *Sgorgo*). Dappertutto c'è il segno di un'ampia attesa, come nel profondo grembo dell'inverno in cui è nata, e non è la gestione rilkiana della morte, questa della terra che prepara i suoi frutti, nello scattare segreto delle radici e delle sorgenti nella nuova stagione.

Nell'ultimo anno della sua vita, nel saggio dedicato al libro di Huxley, *Eyeless in Gaza*, torna prepotentemente il tema del sangue, non più occultato dall'analogia poetica: richiamo potente della vita e dell'eros.

"Questo tema del sangue", scrive, "ci introduce direttamente nel mondo di *Eyeless in Gaza*, di Sansone cieco al mulino con gli schiavi, che nelle profondità delle sue tenebre coscienti esplora il mistero della vita, giù fino all'analisi del suo sangue e di quello dei fratelli, giù fino al disgregamento fisico e spirituale della personalità in atomi vitali indifferenziati e poi, da questo smisurato mare sotterraneo, a capofitto, in uno slancio deliberato, di nuovo nella vita, nell'amore della vita – anche se questa dura una notte sola e l'indomani sarà la morte, poiché certe rivelazioni di completezza non si possono pagare altro che con la morte (anzi, proprio nella morte accettata e cercata in nome di quella vita riconosciuta concreta e assunta a idealità, sta la resurrezione dal mondo dell'intellettualismo apatico, il riscatto del pensiero nel gesto)".

Si potrebbe leggere in questa pagina un pensiero energetico della morte come apoteosi di un istante prescelto, secondo una assoluta reciprocità tra pensiero e atto. Quasi il gesto del suicida dostoevskiano che s'innalza al culmine di se stesso, ma che è insignificante rispetto al pensiero della coscienza che ne è il vero movimento. Quanti echi, qui, delle riflessioni letterarie e filosofiche: da Mallarmé a Rilke a Nietzsche; il viaggio verso "la giusta morte" s'identifica con la ricerca della fonte poetica, esperienza oscura che incarna l'incognita stessa del lavoro creativo che distacca l'artista dal mondo.

Della contemplazione sulla Soglia, la vita di Antonia si è nutrita, ma non per sua scelta, come l'uccello delle *Upanishad* che guarda il frutto senza mangiarlo.

La poesia coglie questo momento che taglia come lama affilata, da cui si riproduce l'antica verità e scorre la nostalgia dell'infanzia, che sgorga come fonte d'intensità straziante, a unire il sapore salmastro delle dinamiche acque pre-natali con quello dolce-mortale dell'infinità confinata del lago.

Come scrivevo nella prefazione all'edizione del Cinquantenario, lungamente "convivendo" con questa poesia, ci si accorge che non è la voce *debile* di una *animula* incostante: lo slancio effusivo s'innerva su un pensiero singolarmente compiuto, sul nucleo filosofico che riguarda il destino stesso della parola. Interroganti – quasi chiedono giustificazione alla vita – queste parole non sono mai esiliate dal mondo reale: anzi, costrette a condensarvisi per una verità perseguita con ostinati rigore e passione. È "la pureté", "la grande probité d'esprit" che T.S. Eliot apprezza in lei.

"Tu sei solo con le parole / e questa è veramente solitudine", scrive Gottfried Benn a un poeta.

Né martire umbratile, né Narciso melanconico come Rilke ritrae la poetessa, Antonia Pozzi intraprende dunque la poesia come venturoso superamento di ogni limite, analogamente a quella ninfa che, caduta, riappare al di là della morte, come rapida sorgente inesauribile. Simile alla Giovane Parca di Valèry, si riconosce fermamente ,contemplando l'esistenza latente delle cose. Ne trae una voce che scaturisce quasi dalle profondità del corpo, adoprando una duplice lente (occhio esterno alla realtà oggettuale, occhio interno all'occulta essenza): "Je me voyais me voir".

Chiude la sua tesi di laurea con queste parole tratte dal suo Flaubert, che sono insieme un ardito testamento spirituale e una lucida assunzione di destino: "Per chi non riesce, per una sua posizione, a lottare, per chi non è capace di sacrificarsi abbastanza devotamente a un compito per chi non sa formulare, davanti al proprio destino, una propria preghiera, saranno eternamente ammonitrici queste parole, che dicono un destino e sono una preghiera: 'Noi siamo soli. Soli, come il beduino nel deserto, bisogna che ci copriamo il viso, che ci stringiamo nei mantelli e che ci gettiamo a testa bassa nell'uragano – e sempre, incessantemente – fino all'ultima goccia d'acqua, fino all'ultimo battito del nostro cuore. Quando moriremo, avremo questa consolazione di aver fatto della strada e di aver navigato nel Grande'".

Alessandra Cenni

Parole

Se le mie parole potessero
essere offerte a qualcuno
questa pagina
porterebbe il tuo nome.

Tramonto corrucciato

Il sole

chino sul grembo della montagna
con tensione
grifagna
sembrava un occhio stupefatto d'arancione
cigliato
di raggi a lame vivide
sotto un sopracciglio corrucciato
di nubi livide.

Milano, 14 aprile 1929

Offerta a una tomba

ad A.M.C.

Dall'alto mi hai mostrato,
un po' fuori della frana ruinosa di case,
un additare nero di cipressi
saettati attraverso l'azzurro
a custodire
i marmi bianchi del cimitero.
Ho pensato ad una tomba
che non ho mai veduta
e mi è sembrato
di deporvi in quell'istante,
con trepido cuore a fior di mani,
un vivo fascio
di garofani rossi.

17 aprile 1929

Un'altra sosta

a L.B.

Appoggiami la testa sulla spalla:
ch'io ti carezzi con un gesto lento,
come se la mia mano accompagnasse
una lunga, invisibile gugliata.
Non sul tuo capo solo: su ogni fronte
che dolga di tormento e di stanchezza
scendono queste mie carezze cieche,
come foglie ingiallite d'autunno
in una pozza che riflette il cielo.

Milano, 23 aprile 1929

Amore di lontananza

Ricordo che, quand'ero nella casa
della mia mamma, in mezzo alla pianura,
avevo una finestra che guardava
sui prati; in fondo, l'argine boscoso
nascondeva il Ticino e, ancor più in fondo,
c'era una striscia scura di colline.
Io allora non avevo visto il mare
che una sol volta, ma ne conservavo
un'aspra nostalgia da innamorata.
Verso sera fissavo l'orizzonte;
socchiudevo un po' gli occhi; accarezzavo
i contorni e i colori tra le ciglia:
e la striscia dei colli si spianava,
tremula, azzurra: a me pareva il mare
e mi piaceva più del mare vero.

Milano, 24 aprile 1929

Distacco

a T.F.

Tu, partita.
Senza desiderare la parola
che avevo in cuore e che non seppi dire.
Nel vano della porta, il nostro bacio
(lieve, ché ti eri appena incipriata)
quasi spaccato in due da un gran barbaglio
di luce, che veniva dalle scale.
Io rimasta
lungamente al mio tavolo, dinnanzi
a un vecchio ritrattino della mamma,
specchiando fissamente dentro il vetro
i miei occhi febbrili, inariditi.

Milano, 9 maggio 1929

Sventatezza

Ricordo un pomeriggio di settembre,
sul Montello. Io, ancora una bambina,
col trecciolino smilzo ed un prurito
di pazze corse su per le ginocchia.
Mio padre, rannicchiato dentro un andito
scavato in un rialzo del terreno,
mi additava attraverso una fessura
il Piave e le colline; mi parlava
della guerra, di sé, dei suoi soldati.
Nell'ombra, l'erba gelida e affilata
mi sfiorava i polpacci: sotto terra,
le radici succhiavan forse ancora
qualche goccia di sangue. Ma io ardevo
dal desiderio di scattare fuori,
nell'invadente sole, per raccogliere
un pugnetto di more da una siepe.

Milano, 22 maggio 1929

Ritorni

ad A.M.C.

Stamattina, in campagna, sono entrata,
dopo tutto l'inverno, nel mio studio.
C'era un odore quasi soffocante:
odor di muri vecchi; mi ha investito
come le melodie che ci risuscitano
in cuore i più nostalgici ricordi.
Sai: su quel divanetto ho tanto pianto
quando ho saputo che tu non tornavi.
Ed oggi, sulla porta, mi ha avvinghiato
la mia anima di allora; ho riassistito
in un istante a tutto il mio passato.
Mi sembrava di essere affacciata
a una terrazza stretta e di guardare,
sotto di me, un brulichio infinito,
affogato nel vuoto e nell'azzurro.
Una lieve vertigine mi ha colto
e sono uscita: fuori, sotto il portico,
c'era una rondine, che s'è spaventata
ed ha squittito tanto acutamente
che ne ho avuto uno stupido sobbalzo.

Milano, 26 maggio 1929

Odore di fieno

Chissà da dove esala
quest'odore di fieno:
ha la pesantezza d'un'ala
che giunga da troppo lontano.
Si affloscia, si lascia piombare
su me, con abbandono insano,
come l'alito di una creatura
che non sappia più continuare.
Tutte le lagrime di questo ignoto interrotto cammino
tremolano nella mia anima impura,
come il tintinnio roco di quel grillo, in giardino,
che rode la solitudine oscura.

Milano, 1° giugno 1929

Giacere

Ora l'annientamento blando
di nuotare riversa,
col sole in viso
– il cervello penetrato di rosso
traverso le palpebre chiuse –.
Stasera, sopra il letto, nella stessa postura,
il candore trasognato
di bere,
con le pupille larghe,
l'anima bianca della notte.

Santa Margherita, 19 giugno 1929

Innocenza

Sotto tanto sole
nella barca ristretta
il brivido
di sentire contro le mie ginocchia
la nudità pura d'un fanciullo
e l'ebbro strazio di covare nel sangue
quello ch'egli non sa.

Santa Margherita, 28 giugno 1929

Pace

ad A.M.C.

Ascolta:
come sono vicine le campane!
Vedi: i pioppi, nel viale, si protendono
per abbracciarne il suono. Ogni rintocco
è una carezza fonda, un vellutato
manto di pace, sceso dalla notte
ad avvolger la casa e la mia vita.
Ogni cosa, d'intorno, è grande e ombrosa
come tutti i ricordi dell'infanzia.
Dammi la mano: so quanto ha doluto,
sotto i miei baci, la tua mano. Dammela.
Questa sera non m'ardono le labbra.
Camminiamo così: la strada è lunga.
Leggo per un gran tratto nel futuro
come sul foglio che mi sta dinnanzi:
poi, la visione cade bruscamente
nel buio dell'ignoto, come questa
pagina bianca, che si rompe, netta,
sul panno scuro della scrivania.
Ma vieni: camminiamo: anche l'ignoto
non mi spaventa, se ti son vicina.
Tu mi fai buona e bianca come un bimbo
che dice le preghiere e s'addormenta.

Carnisio, 3 luglio 1929

Filosofia

Non trovo più il mio libro di filosofia.
Tiravo in carrettino
un marmocchio di otto mesi – robetta molle, saliva, sorrisino –.
Quel che m'ingombrava le mani, l'ho buttato via.

Il fratellino di quel bimbetto,
a due anni, è caduto in una caldaia d'acqua bollente:
in ventiquattro ore è morto, atrocemente.
Il parroco è sicuro che è diventato un angioletto.

La sua mamma non ha voluto andare al cimitero
a vedere dove gliel'hanno sotterrato.
Pei contadini, il lutto è un lusso smodato:
la sua mamma non veste di nero.

Ma, quando quest'ultima creaturina,
con le manine, le pizzica il viso,
ella cerca il suo antico sorriso:
e trova soltanto un riso velato – un povero riso in sordina.

Oggi, da una donna, ho sentito
che quella mamma, in chiesa, non ci vuole più andare.
Stasera non posso studiare,
perché il libro di filosofia l'ho smarrito.

Carnisio, 7 luglio 1929

Lagrime

Bambina, ho visto che stasera hai pianto,
mentre la mamma tua sonava: pochi,
per questo pianto, i tuoi quindici anni.
So che forse noi siamo creature
nate tutte da un'ansia eterna: il mare;
e che la vita, quando fruga e strazia
l'essere nostro, spreme dal profondo
un po' del sale da cui fummo tratte.
Ma non sono per te le salse lagrime.
Lascia ch'io sola pianga, se qualcuno
suona, in un canto, qualche nenia triste.
La musica: una cosa fonda e trepida
come una notte rorida di stelle,
come l'anima *sua*. Lascia ch'io pianga.
Perch'io non potrò mai avere – intendi? –
né le stelle,
né *lui*.

Varese – Milano, 11 luglio 1929

Canto selvaggio

Ho gridato di gioia, nel tramonto.
Cercavo i ciclamini fra i rovai:
ero salita ai piedi di una roccia
gonfia e rugosa, rotta di cespugli.
Sul prato crivellato di macigni,
sul capo biondo delle margherite,
sui miei capelli, sul mio collo nudo,
dal cielo alto si sfaldava il vento.
Ho gridato di gioia, nel discendere.
Ho adorato la forza irta e selvaggia
che fa le mie ginocchia avide al balzo;
la forza ignota e vergine, che tende
me come un arco nella corsa certa.
Tutta la via sapeva di ciclami;
i prati illanguidivano nell'ombra,
frementi ancora di carezze d'oro.
Lontano, in un triangolo di verde,
il sole s'attardava. Avrei voluto
scattare, in uno slancio, a quella luce;
e sdraiarmi nel sole, e denudarmi,
perché il morente dio s'abbeverasse
del mio sangue. Poi restare, a notte,
stesa nel prato, con le vene vuote:
le stelle – a lapidare imbestialite
la mia carne disseccata, morta.

Pasturo, 17 luglio 1929

Flora alpina

ad A.M.C.

Ti vorrei dare questa stella alpina.
Guardala: è grande e morbida. Sul foglio,
pare un'esangue mano abbandonata.
Sbucata dalle crepe di una roccia,
o sui ghiaioni, o al ciglio di una gola,
là si sbiancava alla più pura luce.
Prendila: è monda e intatta. Questo dono
non può farti del male, perché il cuore
oggi ha il colore delle genzianelle.

Pasturo, 18 luglio 1929

Canto rassegnato

ad A.M.C.

Vieni, mio dolce amico: sulla bianca
e soda strada noi seguiteremo
finché tutta la valle s'inazzurri.
Vieni: è tanto soave camminare
a te d'accanto, anche se tu non m'ami.
C'è tanto verde, intorno, tanto odore
di timo c'è, e sono così ariose,
nell'indorato cielo, le montagne:
è quasi come se anche tu mi amassi.
Arriveremo giù, fino a quel ponte
sorretto dallo scroscio del torrente:
là tu continuerai pel tuo cammino.
Io resterò sul greto, fra i cespugli,
dove l'acqua non giunge, fra le pietre
chiare, rotonde, immote, come dorsi
di una gregge accosciata. Col mio pianto
vitreo, pari a lente che non pecca,
io specchierò e raddoppierò le stelle.

Pasturo, 18 luglio 1929

Vaneggiamenti

ad A.M.C.

Io l'ho veduto, allora. Tu sonavi
il tuo violino, con la testa bassa:
le ciglia ti segnavano sul viso
due strisce d'ombra. Io vibravo, forse,
insieme con le corde, nei singhiozzi
che l'anima imprimeva alla tua mano
e t'incontravo al sommo delle dita.
O forse ti giocavo sui capelli
insieme con la brezza acre del mare.
Forse m'illanguidivo nei racemi
molli e compatti delle violeciocche.
E un giorno riponesti le tue musiche;
riponesti, piangendo, il tuo strumento:
la Morte te lo avea fasciato stretto
coi suoi velluti neri. Io t'ho veduto,
fratello, allora. Ma non so dov'ero.
Forse ero solo un ramo crasso ed irto
di fico d'India, dietro un vecchio muro.

Pasturo, 18 luglio 1929

Elegia

Sogno, per una tomba, un monumento:
«Un'ombra, alta figura ammantellata,
enigmatica e cupa. Sulle rigide
braccia di lei, riverso, il corpo nudo
d'una fanciulla: ha il capo rovesciato
più in basso dei ginocchi, il collo teso
nel vano sforzo di rialzare il viso,
le labbra semiaperte, gli occhi larghi,
penosi, allucinati, di chi voglia
a ogni costo vedere e non lo possa.
Non si giunge a comprendere se l'ombra
alza o depone il corpo adolescente».
Così; e poi due alberi, lì ai lati,
d'un verde molto cupo: due pennacchi
simili a questi abeti, che distendano
nel vento delle trine inargentate
di fili resinosi e, a mezzo il tronco,
giù dagli squarci sgangherati, piangano,
a grumi, a gocce, un gran pianto lucente.

Madonna di Campiglio, 10 agosto 1929

Fuga

ad A.M.C.

Anima, andiamo. Non ti sgomentare
di tanto freddo, e non guardare il lago,
s'esso ti fa pensare ad una piaga
livida e brulicante. Sì, le nubi
gravano sopra i pini ad incupirli.
Ma noi ci porteremo ove l'intrico
dei rami è tanto folto, che la pioggia
non giunge a inumidire il suolo: lieve,
tamburellando sulla volta scura,
essa accompagnerà il nostro cammino.
E noi calpesteremo il molle strato
d'aghi caduti e le ricciute macchie
di licheni e mirtilli; inciamperemo
nelle radici, disperate membra
brancicanti la terra; strettamente
ci addosseremo ai tronchi, per sostegno;
e fuggiremo. Con la piena forza
della carne e del cuore, fuggiremo:
lungi da questo velenoso mondo
che mi attira e respinge. E tu sarai,
nella pineta, a sera, l'ombra china
che custodisce: ed io per te soltanto,
sopra la dolce strada senza meta,
un'anima aggrappata al proprio amore.

Madonna di Campiglio, 11 agosto 1929

Dolomiti

Non monti, anime di monti sono
queste pallide guglie, irrigidite
in volontà d'ascesa. E noi strisciamo
sull'ignota fermezza: a palmo a palmo,
con l'arcuata tensione delle dita,
con la piatta aderenza delle membra,
guadagnamo la roccia; con la fame
dei predatori, issiamo sulla pietra
il nostro corpo molle; ebbri d'immenso,
inalberiamo sopra l'irta vetta
la nostra fragilezza ardente. In basso,
la roccia dura piange. Dalle nere,
profonde crepe, cola un freddo pianto
di gocce chiare: e subito sparisce
sotto i massi franati. Ma, lì intorno,
un azzurro fiorire di miosotidi
tradisce l'umidore ed un remoto
lamento s'ode, ch'è come il singhiozzo
rattenuto, incessante, della terra.

Madonna di Campiglio, 13 agosto 1929

La discesa

ad A.M.C.

Già, sulle crode, sono rifioriti
i perenni rosai crepuscolari.
Lontana, ormai, la malga abbandonata
fra i rododendri. Il vento delle gole
non geme più, mordendoci la nuca.
Sale l'umida calma del pineto.
I larici e gli abeti, con la vetta,
ruban la prima oscurità, su in cielo;
con le ricurve frangie, l'accompagnano
fin presso a terra: lì, piano, la versano
a fare viola il muschio ed i mirtilli,
a fare azzurri i sassi del sentiero.

Nel mio ricordo stanco, disperato,
tu ti frantumi d'ombra e di silenzio.

Madonna di Campiglio, 14 agosto 1929

Vertigine

Afferrami alla vita,
uomo. La cengia è stretta.
E l'abisso è un risucchio spaventoso
che ci vuole assorbire.
Vedi: la falda erbosa, da cui balza
questo zampillo estatico di rupi,
somiglia a un camposanto sconfinato,
con le sue pietre bianche.
Io mi vorrei tuffare a capofitto
nella fluidità vertiginosa;
vorrei piombare sopra un duro masso
e sradicarlo e stritolarlo, io,
con le mie mani scarne;
strappare gli vorrei, siccome a croce
di cimitero, una parola sola
che mi desse la luce. E poi berrei
a golate gioiose il sangue mio.

Afferrami alla vita,
uomo. Passa la nebbia
e lambe e sperde l'incubo mio folle.
Fra poco la vedremo dipanarsi
sopra le valli: e noi saremo in vetta.

Afferrami alla vita. Oh, come dolci
i tuoi occhi esitanti,
i tuoi occhi di puro vetro azzurro!

Pasturo, 22 agosto 1929

L’erica

a L.B.

Nel prato troppo verde
si dibatte
la nostra inanità convulsa
e si affanna in diastole e sistole di spasimo
incrociando
stormi di monachelle bianche e nere.

Nel bosco
alla mia animalesca irrequietudine
che mordicchia nocciole
tu offri l’erica livida dei morti
e il mio offuscato amore
lustra
lavato d’acido pianto.

Pasturo, 26 agosto 1929

Alpe

Sulla parete strapiombante, ho scorto
una chiazza rossastra ed ho creduto
che fosse sangue: erano licheni
piatti ed innocui. Ma io ne ho tremato.
Eppure, folle lampo di tripudio
e saettante verità sarebbero
un volo e un urto ed un vermiglio spruzzo
di vero sangue. Sì, bello morire,
quando la nostra giovinezza arranca
su per la roccia, a conquistare l'alto.
Bello cadere, quando nervi e carne,
pazzi di forza, voglion farsi anima;
quando, dal fondo d'una fenditura,
il cielo terso pare un'imparziale
mano che benedica e i picchi, intorno,
quasi obbedienti a una consegna arcana,
vegliano irrigiditi. Sulle vette,
quando la brezza che ci sfiora è l'alito
di vite arcane riarse di purezza
ed il sole è un amore che consuma
e, a mezza rupe, migrano le nubi
sopra le valli, rivelando a squarci,
con riflessi di sogno, la pensosa
nudità della terra, allora bello
sopra un masso schiantarsi e luminosa,
certa vita la morte, se non mente
chi dice che qui Dio non è lontano.

Pasturo, 28 agosto 1929

Benedizione

a L.B.

Tempia contro tempia
si trasfondono
le nostre febbri.
Fuori, tremoli lunghi di stelle
e l'edera, con le sue palme protese,
a trattenere un luccicore mite.
Nella mia casa che riscalda,
tu mi parli delle grandi cose
che nessun altro sa.
Lontano,
una gran voce d'acqua
scroscia a parole incomprese
e forse a te benedice,
dolce sorella,
nel nome del mio amore e della tua tristezza,
a te,
ala bianca
della mia esistenza.

Pasturo, 7 settembre 1929

Fantasia settembrina

Questa notte è passato l'autunno:
l'accompagnava un'orchestrina arguta
di pioggia e folatelle e gli gemeva
una ballata, carezzosamente.
Tutto il corteo ha danzato sopra i tegoli
e zampettato dentro la grondaia
fin dopo il tocco; poi la brigatella
si è incamminata verso la montagna,
col suo fulvo signore. E tutta notte
hanno gozzovigliato in mezzo ai boschi,
i gaietti compari. In lunghe file,
hanno scalato i dossi più audaci,
hanno riddato come pazzi in vetta
ai roccioni più aspri. Verso l'alba,
si son scagliati in basso a precipizio,
scivolando sul capo dei castani,
investendo a rovina le betulle,
lacerando fra i ciuffi di robinie
le tuniche dorate, abbandonando
i drappeggi di nebbia in mezzo ai rovi.
Stamane, di buon'ora, quando il sole
ha profilato d'oro le montagne,
si sono dileguati. Ma sul dorso
d'ogni boscaglia, son rimaste tracce
del festino notturno: guizzi gialli,
guizzi rossastri, appesi ad ogni ramo
come stelle filanti; manciatelle
di ruggine nel folto del fogliame,
come pugni sfacciati di coriandoli;
tazzettine di colchici, smarrite
dalle fate nei prati, per la fretta;

e in noi, l'eco affiochita delle nenie
frusciate dalla pioggia, nella notte;
in noi una bontà dimenticata
– tenerezza calduccia di bambino –
in noi un abbandono senza nome
– desiderio di brace e di carezze –

Pasturo, 30 settembre 1929

Vicenda d'acque

La mia vita era come una cascata
inarcata nel vuoto;
la mia vita era tutta incoronata
di schiumate e di spruzzi.
Gridava la follia d'inabissarsi
in profondità cieca;
rombava la tortura di donarsi,
in veemente canto,
in offerta ruggente,
al vorace mistero del silenzio.

Ed ora la mia vita è come un lago
scavato nella roccia;
l'urlo della caduta è solo un vago
mormorio, dal profondo.
Oh, lascia ch'io m'allarghi in blandi cerchi
di glauca dolcezza:
lascia ch'io mi riposi dei soverchi
balzi e ch'io taccia, infine:
poi che una culla e un'eco
ho trovate nel vuoto e nel silenzio.

Milano, 28 novembre 1929

Ritorno vespertino

Inesorabili le campane
a mazzate sonore
percuotono il capo stanco del sole –
Il sole affonda – affonda –
Il sole è caduto –
è caduto dietro la montagna –
Passano le rondini ad una ad una
frettolose silenti plumbee –
tornano forse da un convegno d'amore –
serrano in cuore un disperato addio –
scivolano sulle nere ali –
scivolano sulle ali lunghe –
vanno – si perdono
fra tegoli lontani.

Pasturo, 20 luglio 1930

Lago in calma

No. Non si può salire: il vuoto enorme
grava su noi, quella gran luce bianca
arde e consuma l'anima.
Non vedi come prone
stanno le cime e come densi i pini
nella valle precipitano?
Non impeto d'ascesa
sferza le vette ad assalir l'azzurro,
ma paurosa immensità di cielo
le respinge, le opprime.
S'annidano, rattratti, nelle conche
i nevai, disciogliendo
sui nudi prati, fra gli abeti neri
trecce argentee di rivi,
come un canoro sospirar di pace
verso il lago lontano.
Restiamo presso il lago, anima cara;
restiamo in questa pace.
Guarda: il cielo, nell'acqua, è meno vasto,
ma più mite, più vivo.
Noi entreremo in questa vecchia barca
tratta in secco sul lido:
i remi sono infranti, ma giacendo
sul fondo basso, non vedrem la terra
e l'onda, percuotendolo da prora,
darà al legno un alterno dondolio
che fingerà l'andare.
Salperemo così, da questi blandi
pendii che odoran di ginepro: andremo
con tutto il sole sovra il petto, il sole
che riscalda e che nutre;
andremo, lenti, in un bianco pio sogno

di sconfinata pace,
verso ignorate spiagge,
col nostro amore solo.

Silvaplana, agosto 1930

Largo

O lasciate lasciate che io sia
una cosa di nessuno
per queste vecchie strade
in cui la sera affonda –

O lasciate lasciate ch'io mi perda
ombra nell'ombra –
gli occhi
due coppe alzate
verso l'ultima luce –

E non chiedetemi – non chiedetemi
quello che voglio
e quello che sono
se per me nella folla è il vuoto
e nel vuoto l'arcana folla
dei miei fantasmi –
e non cercate – non cercate
quello ch'io cerco
se l'estremo pallore del cielo
m'illumina la porta di una chiesa
e mi sospinge a entrare –

Non domandatemi se prego
e chi prego
e perché prego –

Io entro soltanto
per avere un po' di tregua
e una panca e il silenzio
in cui parlino le cose sorelle –

Poi ch'io sono una cosa –
una cosa di nessuno
che va per le vecchie vie del suo mondo –
gli occhi
due coppe alzate
verso l'ultima luce –

Milano, 18 ottobre 1930

Novembre

E poi – se accadrà ch'io me ne vada –
resterà qualchecosa
di me
nel mio mondo –
resterà un'esile scìa di silenzio
in mezzo alle voci –
un tenue fiato di bianco
in cuore all'azzurro –

Ed una sera di novembre
una bambina gracile
all'angolo d'una strada
venderà tanti crisantemi
e ci saranno le stelle
gelide verdi remote –
Qualcuno piangerà
chissà dove – chissà dove –
Qualcuno cercherà i crisantemi
per me
nel mondo
quando accadrà che senza ritorno
io me ne debba andare.

Milano, 29 ottobre 1930

Presagio

Esita l'ultima luce
fra le dita congiunte dei pioppi –
l'ombra trema di freddo e d'attesa
dietro di noi
e lenta muove intorno le braccia
per farci più soli –

Cade l'ultima luce
sulle chiome dei tigli –
in cielo le dita dei pioppi
s'inanellano di stelle –

Qualcosa dal cielo discende
verso l'ombra che trema –
qualcosa passa
nella tenebra nostra
come un biancore –
forse qualcosa che ancora
non è –
forse qualcuno che sarà
domani –
forse una creatura
del nostro pianto –

Milano, 15 novembre 1930

Sorelle, a voi non dispiace...

Sorelle, a voi non dispiace
ch'io segua anche stasera
la vostra via?
Così dolce è passare
senza parole
per le buie strade del mondo –
per le bianche strade dei vostri pensieri –
così dolce è sentirsi
una piccola ombra
in riva alla luce –
così dolce serrarsi
contro il cuore il silenzio
come la vita più fonda
solo ascoltando le vostre anime andare –
solo rubando
con gli occhi fissi
l'anima delle cose –
Sorelle, se a voi non dispiace –
io seguirò ogni sera
la vostra via
pensando ad un cielo notturno
per cui due bianche stelle conducano
un stellina cieca
verso il grembo del mare.

Milano, 6 dicembre 1930

Notturno invernale

Così lieve è il tuo passo, fanciullo,
che quasi non t'odo,
dietro me, sul sentiero.
E così pura è l'ora, così puro
il lume delle grandi stelle
nel cielo viola
che l'anima schiarisce
dentro la notte
come i tetri pini che albeggiano
nel biancore della neve.
Un alto sonno tiene la foresta
ed i monti
e tutta la terra.
Come una grazia cade
dal cielo il silenzio.
Ed io ti sento l'anima battere,
dietro il silenzio,
come un filo vivo di acque
dietro un velo di ghiaccio –
e il cuore mi trema,
come trema il viandante
quando il vento gli porta
attraverso la notte
l'eco d'un altro passo
che segue il suo cammino.
Fanciullo, fanciullo,
sopra il mio cammino,
che va per una landa senza ombre,
sono i tuoi puri occhi
due miracolose corolle
sbocciate a lavarmi lo sguardo.
Fanciullo, noi siamo

in quest'ora divina
due rondini che s'incrociano
nell'infinito cielo,
prima di mettersi in rotta
per plaghe remote.
E domani saremo
soli
col nostro cuore
verso il nostro destino.
Ma ancora, nel profondo, tremerà
il palpito lontano delle ali sorelle
e si convertirà
in nuova ansia di volo.

gennaio 1931

La porta che si chiude

Tu lo vedi, sorella: io sono stanca,
stanca, logora, scossa,
come il pilastro d'un cancello angusto
al limitare d'un immenso cortile;
come un vecchio pilastro
che per tutta la vita
sia stato diga all'irruente fuga
d'una folla rinchiusa.
Oh, le parole prigioniere
che battono battono
furiosamente
alla porta dell'anima
e la porta dell'anima
che a palmo a palmo
spietatamente
si chiude!
Ed ogni giorno il varco si stringe
ed ogni giorno l'assalto è più duro.
E l'ultimo giorno
– io lo so –
l'ultimo giorno
quando un'unica lama di luce
pioverà dall'estremo spiraglio
dentro la tenebra,
allora sarà l'onda mostruosa,
l'urto tremendo,
l'urlo mortale
delle parole non nate
verso l'ultimo sogno di sole.
E poi,
dietro la porta per sempre chiusa,
sarà la notte intera,

la frescura,
il silenzio.
E poi,
con le labbra serrate,
con gli occhi aperti
sull'arcano cielo dell'ombra,
sarà
– tu lo sai –
la pace.

Milano, 10 febbraio 1931

In riva alla vita

Ritorno per la strada consueta,
alla solita ora,
sotto un cielo invernale senza rondini,
un cielo d'oro ancora senza stelle.
Grava sopra le palpebre l'ombra
come una lunga mano velata
e i passi in lento abbandono s'attardano,
tanto nota è la via
e deserta
e silente.
Scattano due bambini
da un buio andito
agitando le braccia:
l'ombra sobbalza
striata da un tremulo volo
di chiare stelle filanti.
Gridano le campane,
gridano tutte
per improvviso risveglio,
gridano per arcana meraviglia,
come a un annuncio divino:
l'anima si spalanca
con le pupille
in un balzo di vita.
Sostano i bimbi
con le mani unite
ed io sosto
per non calpestare
le pallide stelle filanti
abbandonate in mezzo alla via.
Sostano i bimbi cantando
con la gracile voce

il canto alto delle campane: ed io sosto
pensandomi ferma stasera
in riva alla vita
come un cespo di giunchi
che tremi
presso un'acqua in cammino.

Milano, 12 febbraio 1931

L'orma del vento

Corre incontro al sereno il folle vento
recando nelle aeree braccia
una tremante attesa di gemme.
Corre l'anima incontro
a un ignoto miracolo
recando in tutto l'essere
un'infinita, prodigiosa attesa.
Tornano i passi a strade abbandonate,
per un sole che ride
come in luoghi lontani,
per un'aria che odora
come in perduti giorni.
Torna l'ansia di un tempo
e la certezza
la divina certezza ritorna:
oh, tu ancora mi attendi
in fondo a questa via,
presso il vecchio cancello
mascherato d'edera nera!
ancora, ancora
tu mi prendi le mani
e me le baci
e mi chiami giaggiolo...

Urta il folle vento e si spezza
contro un cumulo greve di nubi.
L'aria sembra morire
senza respiro.

Oh, tu non torni,
tu non puoi tornare!
Ben altra pena,

ben altro sangue
chiama i miracoli!

Cade il folle vento: si perde
dietro le nebbie grigie il sereno.
L'anima sembra morire
senza più sogni.

E il cielo è ormai tutto di perla
e chiama, chiama,
nel vuoto enorme,
un sorriso di stelle.
Presso il vecchio cancello,
contro le croci nere dell'edera,
una fioraia ha deposto i suoi fiori.
Per poche lire mi compro
un mazzo magro di fresie,
e a consolarmi l'anima
basta il pensiero
che il grande ignoto miracolo,
il volto arcano
della mia attesa prodigiosa,
si chiuda in queste bocche protese
che mordono con labbra di viola
qualche pallido filo di sole;
in queste tenui vite
che nella malinconia di una sera
calata sopra un'orma di vento,
fanciullescamente mi dono,
per la mia primavera.

Milano, 27 febbraio 1931

Nel duomo

Sospingo una delle grevi porte
e mi cade alle spalle
la furia del meriggio ventoso.
A lenti passi m'inoltro,
bevendo l'ombra improvvisa
in lunghi battiti
delle palpebre stanche:
suonano i passi come morte cose
scagliate dentro un'acqua tranquilla
che in tremulo affanno rifletta
da riva a riva
l'eco cupa del tonfo.
Remiga la tristezza ad ancorarsi
in golfi arcani
d'oscurità profonde;
remiga per un mare favoloso,
ove sono i pilastri
tronchi d'una subacquea pineta,
viva e fitta così
per lontananze senza confine...

Brucia nella tenebra
una lucente siepe di ceri:
gli occhi vi si fissano
subitamente
e l'anima discende
dalle sperdute immensità
chiudendosi
in un nodo di fiamme.
Dinnanzi alla tremante fioritura
che chissà qual divino alito
inclina

verso il sorriso di un'antica madonna,
è immoto un bimbo.
Guarda, il piccolo, assorto,
e certo vede
nella cappella accesa
uno stupendo albero di Natale,
a cui siano fronde
le diafane dita dei ceri.
Certo sogna, il bambino,
che sian tutti balocchi
i rozzi vetri sanguigni
in cui esita un pallido lume...
Gli sbocca nei grandi occhi intenti
la piccola vita
e tutta si allarga
nella celeste immensità del sogno.
Sfocia così il tumulto
d'ogni mio male
nel riposo di un'estasi
senza confine
e l'anima ritrova la sua pace,
come un folle balzo di acque
che si plachi, incontrando
la suprema quiete del mare.

Milano, 3 marzo 1931

Domani

Se chiudo gli occhi a pensare
quale sarà il mio domani,
vedo una larga strada
che sale
dal cuore d'una città sconosciuta
verso gli alberi alti
d'un antico giardino.
Sole, sole violento
e in fondo
le ombrelle nere dei pini
che macchiano l'azzurro.
S'agita nella strada
una folla d'ignoti passanti:
ma nessuno mi guarda,
nessuno mi chiede
di me,
del mio pianto,
di tutto il pianto
che fu versato
quando dovetti lasciare
il mio paese lontano.
Oggi io cammino
senza piangere più
e non m'importa, non m'importa
che l'anima non abbia nulla di suo,
nemmeno più il dolore:
oggi tutta la vita
mi pulsa nel palmo d'una mano,
mi trema in cima alle dita
che serrano
teneramente
la manina della mia creatura.

Oh bimbo, bimbo mio non nato,
la tua mamma non sa
che viso avrai,
ma la tua manina la sente
per ogni sua vena
leggera
come un piccolo fiore senza peso.
La mamma oggi è venuta
a prenderti alla scuola
(da così pochi giorni ci vai!
ancora, la mattina,
quando resti là solo,
fai con la bocca un po' di mestolino);
la mamma oggi è venuta
a prenderti all'uscita
ed ora si ritorna a casa insieme,
adagio,
per non stancare
le tue gambine corte.
Vedi, piccolo: bisogna che saliamo
tutta questa lunga strada.
Quando saremo in cima,
entreremo nel vecchio giardino,
sotto gli alberi neri neri;
lo traverseremo tutto;
usciremo dal piccolo cancello
in fondo all'ultimo viale:
fuori,
sul ciglio del primo prato,
c'è la nostra casa.
Bambino, quando saremo giunti
alla nostra casa,
dopo tanto salire,
io ti solleverò alto da terra,
ti metterò nelle braccia
di chi è lassù ad aspettare,
gli dirò: Vedi,
vedi che cosa ti ho portato?
E l'anima,
donato il suo ultimo dono,

resterà nuda e povera
come la spiga vuota.
Ma tu, tu, creatura,
nelle piccole mani porterai,
fiore della rinuncia mia,
tesoro di tutti gli umani,
una speranza di Bene.

Milano, 27 marzo 1931

Sera d'aprile

Batte la luna soavemente
di là dai vetri
sul mio vaso di primule:
senza vederla la penso
come una grande primula anch'essa,
stupita,
sola,
nel prato azzurro del cielo.

Milano, 1° aprile 1931

Rossori

È l'ora di tornare. La sera
discende quieta in grembo alla valle.
Passa sotto le nude volte dei castani
una muta brezza e ne tremano
il morto fogliame dell'inverno,
il verde gracile che si rinnova
sulle prode scoperte. Le cose,
fatte più grigie, sembrano raccogliersi
in un silenzio assorto.
Attutisce il suo canto
persino la bianca acqua, che scende
da lontano, dall'alto e che stamane
con tanta furia gridava
la sua gioia d'esser sfuggita
agli artigli del ghiaccio.
È l'ora di tornare. Compongo
in una mano, strettamente, i miei fiori
e nella penombra incupita
ripercorro il sentiero.
Oggi è il giorno dell'Angelo.
Nessuna donna, a ginocchi, risciacqua
lungo il fossato i suoi panni:
gli sgabelli spostati, capovolti
impediscono il passo.
C'è un'aria d'abbandono, oggi, pei campi,
un'aria di solitudine festiva
che fa più triste la tristezza dell'ora.
Ma davanti al cancello
del mio giardino
un grappolo di bimbi

attende il mio ritorno.
Per guardarmi,
per guardarmi bene da vicino,
per vedere com'è fatta
questa cosa curiosa che son io.
Me li trovo davanti all'improvviso,
che mi fissano, dritti,
senza scomporsi:
e di colpo sento
che ho io di loro assai più vergogna
che non essi di me.
Vergogna del mio mazzo
di bucaneve troppo semplici
che a loro paiono brutti,
vergogna del mio passo,
del mio corpo, troppo pesanti,
che a me sembrano goffi...
Ed ecco, vorrei essere come loro,
piccina, povera, oscura,
più vicina alla loro piccolezza,
e non aver da dire
la paroletta benevola
che suona male,
non aver da sorridere
con le labbra dure
che si aprono male...
Mi rifugio dietro il cancello
come dietro una porta impenetrabile.
Ma quando devo infilare
la chiave nella toppa
e chiudere
con armeggìo sgarbato,
mi sento morire, mi sento morire di vergogna
davanti ai loro occhi tondi di passeri
che mi guardano di là dalle sbarre;
davanti alle loro animette
di passeri liberi, avvezzi
ad entrare, ad uscire

dagli uscioni sgangherati
delle vecchie cascine,
senza smuovere mai
l'enorme catenaccio arrugginito...

Pasturo, 6 aprile 1931

Esempi

Anima, sii come il pino:
che tutto l'inverno distende
nella bianca aria vuota
le sue braccia fiorenti
e non cede, non cede,
nemmeno se il vento,
recandogli da tutti i boschi
il suono di tutte le foglie cadute,
gli sussurra parole d'abbandono;
nemmeno se la neve,
gravandolo con tutto il peso
del suo freddo candore,
immolla le fronde e le trae
violentemente
verso il nero suolo.
Anima, sii come il pino:
e poi arriverà la primavera
e tu la sentirai venire da lontano,
col gemito di tutti i rami nudi
che soffriranno, per rinverdire.
Ma nei tuoi rami vivi
la divina primavera avrà la voce
di tutti i più canori uccelli
ed ai tuoi piedi fiorirà di primule
e di giacinti azzurri
la zolla a cui t'aggrappi
nei giorni della pace
come nei giorni del pianto.

Anima, sii come la montagna:
che quando tutta la valle
è un grande lago di viola

e i tocchi delle campane vi affiorano
come bianche ninfee di suono,
lei sola, in alto, si tende
ad un muto colloquio col sole.
La fascia l'ombra
sempre più da presso
e pare, intorno alla nivea fronte,
una capigliatura greve
che la rovesci,
che la trattenga
dal balzare aerea
verso il suo amore.
Ma l'amore del sole
appassionatamente la cinge
d'uno splendore supremo,
appassionatamente bacia
con i suoi raggi le nubi
che salgono da lei.
Salgono libere, lente
svincolate dall'ombra,
sovrane
al di là d'ogni tenebra,
come pensieri dell'anima eterna
verso l'eterna luce.

Pasturo, 10 aprile 1931

La disgrazia

È caduto il ragazzo
del lattivendolo, su per le scale:
un gran rimbombo
nella penombra fredda.
Gronda giù dalle rampe,
a larghe gocciole, il latte
delle bottiglie infrante,
commisto al sangue
delle mani ferite.
Quanto sangue, Signore,
in due povere mani di bambino!
Sulla sudicia pietra
del pianerottolo, ingrossano
pozze di latte cilestrino, opaco,
pozze di sangue rosso, abbacinante,
selvaggiamente libero,
selvaggiamente lieto.
Sopra una sedia dura
della nostra cucina,
bianco, ammollito, il piccolo
sembra ascoltare
il rodìo caldo
del suo sangue che fugge.
Fuori, per tutti i canali,
insiste
il rodìo freddo
della pioggia che cade.

3 maggio 1931

Sogno dell'ultima sera

Per l'ultima sera il vento
a carezzare la mia montagna
che prona, in alto, numera le stelle.
Per l'ultima sera il vento
a donare a ciascun albero un pianto
tormentoso di fronde,
perch'io m'illuda d'ascoltarne un addio.
Poi, nella stanza, a fianco
del mio piccolo letto,
io a togliermi di dosso le mie vesti,
per ogni nodo sfatto dicendo:
è l'ultimo, è l'ultimo, è l'ultimo,
nella mia casa, a fianco
di questo piccolo letto...
Più tardi, come ogni sera, il sonno
a premere con mani grige il mio capo
e tu, mamma, a riporre
silenziosamente le mie robe,
piangendo, piangendo, piangendo.
Ed ecco io sogno: sono
nel sogno, mamma, un cercatore d'oro,
che va, che va per un'ignota landa
e mai non trova,
mai non trova il suo oro.
La terra è gialla, intorno: poca acqua
stagna qua e là, fra i giunchi.
Ma che fare
dell'acqua, mamma,
se non ho del pane?
Io non ho se non questo sacco lieve
che tu m'hai dato; dentro vi rimane
solo un tuo dolce piccolo ritratto

di quand'eri fanciulla e ricamavi,
esile e bianca, presso la finestra.
Ora poiché non ho
più speranza di vita,
ora poiché non so
se non morire
in questa atroce terra,
mamma, io voglio
baciare il tuo ritratto.
E sfaccio il nodo che serra
questo piccolo sacco
e vi affondo le mani...
Mamma, che sono
questi grani leggeri che mi sfioran le dita,
che mi gonfian le palme,
che mi coprono i polsi?
Briciole sono!
Briciole bianche, briciole di pane!
Mamma, mamma, ma sono
le tue lacrime, queste, le tue lacrime
che fioriscon così, per la mia vita!
Mamma, ma è il tuo
povero pianto, questo, tutto il pianto
che hai versato per me, l'ultima sera!
tutto il tuo pianto, divenuto pane.

Repton, 12 luglio 1931

Esilio

T'hanno strappato dal mare, bambino
e non sai dove ti portino
ora, per questa strada nuda,
per questi prati arsicci,
parlandoti parole che non afferri
e non senti
se da un'anima sorella
o da un ignoto mondo
ti giungano.
La nebbia aliava sul mare,
morbida, bianca;
l'acqua era azzurrina
sott'essa, chiara.
Volevi dormire anche tu,
dentro la nebbia,
come il sole?
Il tuo mare è scomparso, bambino:
non senti come ululano
le sirene, sperdute?

Ed ora perché
singhiozzi?
Credevi che ci fosse
qualchecosa per te
in questa casa scialba
dove t'hanno portato?
Piangi perché
tutta la casa è vuota,
perché tutte le gabbie sono vuote
nel gran giardino
e non c'è che un coniglio nero,
vicino al muro,

che annusa, annusa
e non ti sa dir niente?

Ma non hai visto, bambino, che le siepi
lungo la strada
erano le stesse
che crescono vicino alla tua casa
di là dal mare?
Non lo sai che stasera
sulla tua casa
e sul mare
e su te
il cielo piangerà
lo stesso pianto
di stelle?

Kingston, agosto 1931

Nostalgia

C'è una finestra in mezzo alle nubi:
potresti affondare
nei cumuli rosa le braccia
e affacciarti
di là
nell'oro.
Chi non ti lascia?
Perché?
Di là c'è tua madre
– lo sai –
tua madre col volto proteso
che aspetta il tuo volto.

Kingston, 25 agosto 1931

Fede

Come potresti, come potresti, creatura,
andartene da sola
per questo prato che somiglia a una steppa
e coglier l'erica
e contare le stelle
e non morire
se fosse la tua patria vera
quella che t'è lontana?

Come potresti, come potresti, creatura,
strappare a queste pietre
le stesse erbe che crescono
vicino alla tua casa
ed amarle
se questa terra non fosse
quella stessa, portata
dai tuoi occhi
pel mondo?

E come potresti donare
alle cose una vita
se fosse nelle cose la tua patria
e non in te
la patria d'ogni cosa?

Come potresti tu,
creatura, creare
ad ogni istante il tuo mondo
e sognare d'una patria più vera
se Dio in te non creasse

ad ogni istante il Suo mondo,
il suolo sacro,
la Patria?

Kingston, 25 agosto 1931

Risveglio notturno

Riemersa da chissà che ombre,
a pena ricuperi il senso
del tuo peso
del tuo calore
e la notte non ha,
per la tua fatica,
se non questo scroscio pazzo
di pioggia nera
e l'urlo del vento ai vetri.
Dov'era Dio?

Milano, ottobre 1931

L'anticamera delle suore

Forse hai ragione tu:
forse la pace vera
si può trovare solamente
in un luogo buio come questo,
in un'anticamera di collegio
dove ogni giorno sfilano le bambine
lasciando alle pareti
i soprabitini e i berretti;
dove i poveri vecchi
che vengono a domandare
si contentano di un soldo solo
dato da Dio;
dove la sera, per colpa
delle finestre piccine,
si accendono presto le lampade
e non si aspetta
di veder morire la luce,
di veder morire il colore e il rilievo delle cose,
ma incontro alla notte si va
con un proprio lume alto acceso
e l'anima che arde non soffre
il disfacimento dell'ombra.

Milano, 12 novembre 1931

Prati

Forse non è nemmeno vero
quel che a volte ti senti urlare in cuore:
che questa vita è,
dentro il tuo essere,
un nulla
e che ciò che chiamavi la luce
è un abbaglio,
l'abbaglio supremo
dei tuoi occhi malati –
e che ciò che fingevi la meta
è un sogno,
il sogno infame
della tua debolezza.

Forse la vita è davvero
quale la scopri nei giorni giovani:
un soffio eterno che cerca
di cielo in cielo
chissà che altezza.

Ma noi siamo come l'erba dei prati
che sente sopra sé passare il vento
e tutta canta nel vento
e sempre vive nel vento,
eppure non sa così crescere
da fermare quel volo supremo
né balzare su dalla terra
per annegarsi in lui.

Milano, 31 dicembre 1931

Grido

Non avere un Dio
non avere una tomba
non avere nulla di fermo
ma solo cose vive che sfuggono –
essere senza ieri
essere senza domani
ed acciecarsi nel nulla –
– aiuto –
per la miseria
che non ha fine –

10 febbraio 1932

Neve

Turbini di neve
che il vento strappa dai tetti
ed altra neve
più quieta
che un'altra mano
arcana
strappa dal cielo –
Turbini di neve fredda sull'anima
e tu non vuoi capire,
tu vuoi sognare
triste anima
povera anima
ancora
finché una mano
arcana
strapperà anche il tuo sogno
come un cielo bianco invernale
e in pochi fiocchi nevosi
lo perderà
col vento.

10 febbraio 1932

Errori

Fiocca la neve leggiadramente
sui cesti delle fioraie: imbianca
le giunchiglie e le viole,
le fresie magre, venute
dai paesi del sole.
A guardarle si pensa
dei tanti destini errati
che dolgono
per le vie della terra
ed un furore nostalgico serra
per le vie d'oro dell'anima
a cui neve non giunge.

Milano, 2 marzo 1932

Deserto

A notte
ombre di cancelli sulla neve
come ombre di grate
sopra un letto disfatto
di ospedale.

Milano, 3 marzo 1932

Gioia

Lo splendore del sole
ti abbacinava ieri
dolendo
come la piaga
nelle pupille del cieco.
Ma oggi
lo splendore del sole
non è abbastanza lucente
per la lucentezza tua:
nell'infinito mondo non c'è
che questo tuo splendore
vero.

6 marzo 1932

Limiti

Tante volte ripenso
alla mia cinghia di scuola
grigia, imbratta,
che tutta me coi miei libri serrava
in un unico nodo
sicuro –
Né c'era allora
questo trascendere ansante
questo sconfinamento senza traccia
questo perdersi
che non è ancora morire –
Tante volte piango, pensando
alla mia cinghia di scuola –

Milano, 16 aprile 1932

Paura

Nuda come uno sterpo
nella piana notturna
con occhi di folle scavi l'ombra
per contare gli agguati.
Come un colchico lungo
con la tua corolla violacea di spettri
tremi
sotto il peso nero dei cieli.

Milano, 19 ottobre 1932

Preghiera

Signore, tu lo senti
ch'io non ho voce più
per ridire
il tuo canto segreto.
Signore, tu lo vedi
ch'io non ho occhi più
per i tuoi cieli, per le nuvole tue
consolatrici.

Signore, per tutto il mio pianto,
ridammi una stilla di Te
ch'io riviva.

Perché tu sai, Signore,
che in un tempo lontano
anch'io tenni nel cuore
tutto un lago, un gran lago,
specchio di Te.
Ma tutta l'acqua mi fu bevuta,
o Dio,
ed ora dentro il cuore
ho una caverna vuota,
cieca di Te.

Signore, per tutto il mio pianto,
ridammi una stilla di Te,
ch'io riviva.

20 ottobre 1932

Giorno dei morti

Dall'anima sfinita i sogni
come fogliame cadono
a lembo a lembo.
E resto come un pioppo nudo
a sopportare
con scarne braccia
tutto il peso dei cieli:
l'invariata piana dell'esistenza
mi gela.

Signore Iddio,
fuori di Te non c'è salvezza,
lo so.

Perché dai morti veniamo,
perché ai morti torniamo
e i morti sono in Te
di là dal gran velo del cielo
e vedono l'oro tuo,
Signore,
il mare eterno
di Te.

E la voce dei morti
è la tua voce
bronzea
che travolge l'anima.

Non c'è salvezza,
fuori di Te
Signore.

2 novembre 1932

Tramonto

Fili neri di pioppi –
fili neri di nubi
sul cielo rosso –
e questa prima erba
libera dalla neve
chiara
che fa pensare alla primavera
e guardare
se ad una svolta
nascano le primule –
Ma il ghiaccio inazzurra i sentieri –
la nebbia addormenta i fossati –
un lento pallore devasta
i colori del cielo –
Scende la notte –
nessun fiore è nato –
è inverno – anima –
è inverno.

S. Martino – Milano, 10 gennaio 1933

In un cimitero di guerra

Così bianca ed intatta è la coltre
di neve
su voi
che segnarla del mio passo non oso
dopo tanto cammino
sopra le vie di terra.
Per voi dall'alto suo grembo
di ghiacci e pietra discioglie
un lento manto di nubi
il Cimon della Pala.
Per voi taccion le strade
e tace il bosco d'abeti
spegnendo
lungo la valle
ogni volo di vento.
Io strappo alla chioma di un pino
un ramo in forma di croce:
di là dal cancello lo infiggo
per tutte le tombe.
Ma di qua dal cancello
serrata
contro le sbarre
dalla mia profonda
pena d'esser viva
rimango
e solo è in pace
con la vostra pace
il sogno
dell'estremo giacere.

(S. Martino) – Milano, 12 gennaio 1933

Crepuscolo

Le crode non hanno più rose:
il sole le ha tutte portate
con sé
nel suo morire.

Anima, del tuo sfiorire
perché ti duole?

Lo stesso tuo pallore
è sulla fronte
d'ogni montagna,
lo stesso tuo desio
d'assopimento.

Vedi le grandi cime
come si sbiancano:
gli immensi volti
come distendono
sul dolore degli occhi
le palpebre
e giacciono puri,
protesi
a una carezza stellare.

O non attendi anche tu
per la tua vita
che si scolora
il bagliore supremo?

S. Martino di Castrozza, gennaio 1933

Sonno

O vita,
perché
nel tuo viaggio mi porti
ancora,
perché
il mio pesante sonno
trascini?

Io so
che le più pure fontane
per tutta la terra sfacendosi
non renderanno
alla neve bruttata
il biancore.

Né l'alba farà
con stanca magia
rifiorire
tra case nere
le mimose morte.

Ma sola
al gelo notturno
tremerà
la fioraia
presso il vano donarsi
della fontana.

O vita,
perché
non ti pesa

questo mio disperato
sonno?

16 gennaio 1933

Sogno nel bosco

Sotto un abete
per tutto un giorno
dormire
e l'ultimo cielo veduto
sia in fondo all'intrico dei rami
lontano.

A sera
un capriolo
sbucando dal folto
disegni
di piccole orme
la neve
e all'alba
gli uccelli
impazziti
infiorino di canti il vento.

Io
sotto l'abete
in pace
come una cosa della terra,
come un ciuffo di eriche
arso dal gelo.

16 gennaio 1933

Sogno sul colle

Sotto gli ulivi vorrei
in un mattino fresco
salire
e salutare
di là dalle lievi
chiome d'argento
il pallore del sole ed il volo
delle nuvole lente
verso il mare.

Vorrei cogliere un mazzo di pervinche
fiorite
nei cavi tronchi
e camminare per il viale oscuro
dei lecci
con il mio dono azzurro presso il cuore.

Rasentare così
le antiche mura
ricoperte dall'edera
vorrei
e bussare alla porta del convento.

Vorrei essere un frate silenzioso
che va con i suoi sandali di corda
sotto gli archi di un chiostro
e attinge acqua all'antica
vera del pozzo
e disseta
le lavande e le rose.

Vorrei
dinnanzi alla mia cella
avere
quattro metri di terra
ed ogni sera
al lume delle prime stelle
scavarmi
lentamente una fossa
pensando al tramonto dolcissimo
in cui verranno
salmodiando
i fratelli
e in mezzo ai cespi delle lavande
mi coricheranno
ponendomi sul cuore
come fiori
morti
queste mie stanche mani
chiuse in croce.

Assisi, 24 gennaio 1933

Disperazione

Io sono il fiore
di chissà qual tronco sepolto
che per essere vivo
crea figli
su dall'oscuro
grembo della terra –

Io sono un fiore diaccio –
straniato
da ogni umana pietà o preghiera
e l'aria che mi cinge
è vuota –
senza respiro –
ombrata
da funerei cipressi –

O chi darà
al fiore,
alla sua corolla dolente,
la forza estrema di interrarsi?

24 gennaio 1933

Sterilità

Oh, non volere ch'io torni
per la mia vita
a penare:
non lo sai che sarebbe
come voler seminare
del grano in un cimitero?

E chi vuoi tu che ne mangi
domani
di un tal pane?

Nemmeno un bimbo affamato,
credimi,
nemmeno un cane
percosso.

Perché non c'è vivo
che la sua vita non senta
avvelenata
dall'odore della morte.
Oh, lascia
che solo le smorte
erbe
coronino le tombe –
lascia
che solo qualche inodora margherita
imbianchi
il deserto viale –

Oh, non voler seminare

il grano
in questa mia vita!

24 gennaio 1933

Scena unica

Vedi:
questo è il mio bambino
finto.

Gli ho fatto il vestitino
all'uncinetto
con la lana bianca.

Dice anche "mamma" –
sì –
se lo rovesci sopra il dorso.

Dammelo qui in braccio
per un pochino:
ecco,
hai sentito
come ha detto

"mamma"?

Questo è il mio bambino –
vedi –
il mio bambino
finto.

31 gennaio 1933

Luce bianca

All'alba entrai
in un piccolo cimitero.

Fu in un paese lontano
ai piedi di una torre grigia
senza più voce alcuna
di campane –
mentre ancora le nebbia
inargentava
le querce oscure,
le siepi alte,
l'erica
viola –

Nel piccolo cimitero
le pietre
volte all'Oriente
come in un riso
bianco
parevano visi di ciechi
che allineati marciassero
incontro al sole.

1° febbraio 1933

Pudore

Se qualcuna delle mie povere parole
ti piace
e tu me lo dici
sia pur solo con gli occhi
io mi spalanco
in un riso beato
ma tremo
come una mamma piccola giovane
che perfino arrossisce
se un passante le dice
che il suo bambino è bello.

1° febbraio 1933

Unicità

Io credo questo:
che non si può cambiar nome,
cambiar volto
alle creature già nate
nel cuore.

E perciò il nostro bimbo
unico
sarà quello
che noi sognammo
nei mattini di giugno
– ti rammenti? –
Quando calpestavamo
le spighe bionde
per cogliere i papaveri
fiammanti
e tutto il cielo era un rombo
d'ali umane
che cercavano il sole.

Io credo questo:
che saprei squarciarmi
con le mie mani
il grembo
prima di dar la vita
ad un figlio
non tuo.

2 febbraio 1933

Alba

E quando sarà nato
tu aprirai la finestra
perché possiamo vedere
tutta l'alba –
tutta l'alba fiorire
nel nostro cielo –
Ed egli dormirà –
piccino –
nella sua culla bianca
e la luce sarà
su lui
lacrimata
negli occhi suoi
dal mio pianto.

2 febbraio 1933

Sera

Se a volte mi sembra
che questo mio resto di vita
si aggeli
per l'improvvisa solitudine
che coglie il viandante
quando alle valli protese
come mani mendiche
offrono i monti dal cielo
un'elemosina d'ombra –

quando l'unica strada
dei villaggi
è deserta

e qualche donna ancora
chiama forte
nel buio

e poi più non s'ode
altro che un chiudersi lento
di porte
sulla neve –
o accendi tu
la tua lampada
e fammi cenni di entrare –
che io non muoia
qui
senza fuoco!

3 febbraio 1933

Lume di luna

O grande cielo invernale
o luna bianca
o stelle
solitarie, velate –
o fiori eterni della tenebra fonda –
quale acqua di neve fu mai
così chiara alla bocca
com'è il vostro lume sereno
alla notte del cuore?

Biancheggia l'anima al raggio
lunare – come una tomba –
ma sotto la pietra rinasce
d'incanto – il giardino distrutto.

Risorgono l'erbe calpeste –
rivivono gli alberi morti
bevendo – a limpidi sorsi
la fredda rugiada celeste –

Si destano i sogni
dal lungo sopore – si desta
l'antico argenteo canto –

ahimé – ch'esso è un pianto
di culla
sepolto.

13 febbraio 1933

I fiori

Non c'è nessuno,
non c'è nessuno che vende
i fiori
per questa strada maledetta?

E questo mare nero
e questo cielo livido
e questo vento avverso –
oh, le camelie di ieri
le camelie bianche rosse ridenti
nel chiostro d'oro –
oh, l'illusione primaverile!

Chi mi vende oggi un fiore?
Io ne ho tanti nel cuore:
ma serrati
in grevi mazzi –
ma calpesti –
ma uccisi.
Tanti ne ho che l'anima
soffoca e quasi muore
sotto l'enorme cumulo
inofferto.
Ma in fondo al nero mare
è la chiave del cuore –
in fondo al nero cuore
peserà
fino a sera
la mia inutile messe
prigioniera –

O chi mi vende
un fiore – un altro fiore
nato fuori di me
in un vero giardino
che io possa donarlo a chi mi attende?

Non c'è nessuno,
non c'è nessuno che vende
i fiori
per questo tristo cammino?

14 febbraio 1933

Il porto

Io vengo da mari lontani –
io sono una nave sferzata
dai flutti
dai venti –
corrosa dal sole –
macerata
dagli uragani –

io vengo da mari lontani
e carica d'innumeri cose
disfatte
di frutti strani
corrotti
di sete vermiglie
spaccate –
stremate
le braccia lucenti dei mozzi
e sradicate le antenne
spente le vele
ammollite le corde
fracidi
gli assi dei ponti –

io sono una nave
una nave che porta
in sé l'orma di tutti i tramonti
solcati sofferti –
io sono una nave che cerca
per tutte le rive
un approdo.

Risogna la nave ferita
il primissimo porto –
che vale
se sopra la scia
del suo viaggio
ricade
l'ondata sfinita?

Oh, il cuore ben sa
la sua scia
ritrovare
dentro tutte le onde!
Oh, il cuore ben sa
ritornare
al suo lido!

O tu, lido eterno –
tu, nido
ultimo della mia anima migrante –
o tu, terra –
tu, patria –
tu, radice profonda
del mio cammino sulle acque –
o tu, quiete
della mia errabonda
pena –
oh, accoglimi tu
fra i tuoi moli –
tu, porto –
e in te sia il cadere
d'ogni carico morto –
nel tuo grembo il calare
lento dell'ancora –
nel tuo cuore il sognare
di una sera velata –
quando per troppa vecchiezza
per troppa stanchezza
naufragherà

nelle tue mute
acque
la greve nave
sfasciata –

20 febbraio 1933

Santa Maria in Cosmedin

O dolce e pallido il tuo altare
Santa Maria in Cosmedin
sotto la rossa terra
ed i neri cipressi
del Palatino –
piccola chiesa nata
per infiorarsi
all'alba
di serenelle bianche –
nata per le nozze
dell'anima
o per le esequie di un bimbo...

Custodisci ora tu
nella penombra cerea
dei tuoi marmi
questo bambino morto ch'io reco –
questo povero
sogno –

consacramelo tu
sul tuo
altare –

Roma, 8 aprile 1933

Così sia

Poi che anch'io sono caduta
Signore
dinnanzi a una soglia –

come il pellegrino
che ha finito il suo pane, la sua acqua, i suoi
sandali
e gli occhi gli si oscurano
e il respiro gli strugge
l'estrema vita
e la strada lo vuole
lì disteso
lì morto
prima che abbia toccato
la pietra del Sepolcro –

poi che anch'io sono caduta
Signore
e sto qui infitta
sulla mia strada
come sulla croce

oh, concedimi Tu
questa sera
dal fondo della Tua
immensità notturna –
come al cadavere del pellegrino –
la pietà
delle stelle.

9 aprile 1933

Stelle sul mare

Piccole buone stelle –
tutte mie –
tutte mie –
che passate
con il moto del mare
sul mio guanciale bianco –

piccole buone stelle
che impigliate
i vostri chiari raggi
nella mia mano
s'io – ecco – la tenda
verso di voi
come un arbusto spoglio –

piccole buone stelle
che cadete
giù dalla mano
s'io – ecco – la scuota
come fa il vento di un ramo fiorito –
stelle –
grandine d'oro –
che piovete
a scrosci lunghi
sopra il nudo cuore –

Napoli-Palermo, 9-10 aprile 1933

Λύχνος

Lucernina,
forse tu stavi
dentro un sepolcro di bambino
presso il balocco di terracotta
e gli orci
con i piccoli semi –

o forse ti recò un navigatore
a tarda ora
nel tempio
di Venere Ericìna –
scure le Egadi nel tramonto – cérulo
l'aperto mare –

forse all'alba
un capraro ti reggeva
portando le sue greggi
su verso il borgo – a vendere
il fresco latte.

Lucernina, tu odori
tutta di terra
ancora –
e t'ha corroso
la troppa ombra –
così diafana sei –
piccola lampada –
come un'anima che venga dal profondo.

O non traluce in te –

nella tua creta
pallida –
un chiarore oltreumano?

Monte S. Giuliano (Erice), 12 aprile 1933

L'Ànapo

Si va sull'Ànapo verso sera
con una barca che salpa
dal Porto Grande
e per metter la vela s'accosta
ad una nave sola e scura –
un po' sbandata – che sembra
in pericolo di affondare –

Lì si comincia a prendere
più vento –

e se a prua sieda
un piccolo bambino
biondo
tu vedi la sua testa
di contro al sole
e l'oro lieve dei suoi capelli
si muove
nel cielo –

Si va sull'Ànapo verso sera –
la vela la si toglie
dopo la foce
e si procede a remi – vincendo
la corrente profonda

e quando il barcaiolo strappa
su dal piede carnoso
un papiro
(la chioma abbandonata sull'acque

s'imbeve e affonda
in un piccolo gorgo)
tu pensi alle candide membra
di qualche ninfa
rapita
alla patria grotta –

Si sale alla sorgente –
Cìane azzurra che seppe
la sorte di Proserpina – ed un'altra
fonte è laggiù –
Aretusa dolce
al limite del salso mare –
in Ortigia che trascolora
come una grande
conchiglia –

Si va sull'Ànapo verso sera
fra i papiri verdissimi
sopra l'acqua
silente –

e se a prua sieda
un piccolo fanciullo
biondo
tu vedi la sua testa
di contro al sole
che cala –
e l'oro lieve dei suoi capelli
si muove
nel cielo –

Siracusa, 15 aprile 1933

Solitudine

Benché l'odore delle foglie nuove ti desti
ad una voglia di umano sole

ed il tramonto non trascolorato ancora in sera
ti spinga
per vie di terra
– remote
le soglie spente del cielo –

tu cerchi invano chi possa
in quest'ora per un tuo voto giungere
presso il tuo cuore –

vero è che nessuno
più giunge presso il tuo cuore
inaccessibile –

ch'esso è fatto solo –
dannato ai gridi
delle sue
rondini –

4 maggio 1933

Lamentazione

Che cosa mi ha dato
Signore
in cambio
di quel che ti ho offerto?
del cuore aperto
come un frutto –
vuotato
del suo seme più puro –
gettato
sugli scogli
come una conchiglia inutile
poi che la perla è stata
rubata –

che cosa mi hai dato
in cambio
della mia perla perfetta
diletta?
quella che scelsi
dal monile più splendente
come sceglievano i pastori
antichi
nel gregge folto
l'agnello più lanoso più robusto più bianco
e l'immolavano
sopra il duro altare?

Che cosa hai fatto tu
se non legarmi
a questo altare
come ad una eterna
tortura? –

Ed io ti ho dato
la mia creatura
unica
la mia ansia materna
inappagata
il sogno
della mia creatura non creata
il suo piccolo viso senza
fattezze
la sua piccola mano senza
peso –
Sulle rovine della mia casa non nata
ho sparso
cenere e sale –

E tu
che cosa mi hai dato
in cambio
della mia dolce casa
immacolata?
se non questo deserto
Signore
e questa sabbia che grava
le mie mani di carne
e m'intorbida gli occhi
e m'insudicia le piaghe
e m'infossa
l'anima –

O non ci sono più nembi
nel tuo cielo
Signore
perché si lavi
in uno scroscio
tutta questa
miseria?

Milano, 6 maggio 1933

Canzonetta

Ciascuno la propria tristezza
se la compra dove vuole –

anche in una bottega nera
austera
tra libri impolverati
che si liquidano a prezzi dimezzati –

libri inutili –
tutti i TRAGICI GRECI –
ma se il greco non lo sai
più –
mi sai dire perché li hai
comprati?

libri inutili –
POESIE PER I BAMBINI –
coi fantoccini
colorati –
ma se non hai
bambini
tu
mi sai dire perché li hai
comprati?

se non avrai dei bimbi mai
più

mi sai dire per chi
li hai
sciupati
i tuoi soldi
così?

Ciascuno la propria tristezza
se la compra dove vuole –
come vuole –
anche
qui –

Milano, 12 maggio 1933

Maledizione

Non presso chiari fiumi
ma in riva a tristi fossati
sostammo
dove immerger le mani
era smarrirle
sotto la mota
pullulante dal fondo –

Ed il verde degli olmi
era lucente
nella calura –
erano freschi i fiori
di prato –
e d'altri fiori s'illudeva
strenuo
il cuore.

Ma quell'acqua fangosa traversava
la via –
quell'odore corrotto solcava
l'alito della nostra tenerezza
dolente –

né potevamo noi sventare
quella maledizione della terra –
né potevamo soffocare
la voce arcana
piangente
– siete perduti –

12 maggio 1933

Gli eucalipti

Alti gli eucalipti lungo l'argine
effusi al piede
in uno sgorgo acceso di papaveri –
Crepitano le foglie péndule
nel vento –
qualcuna cade
imbiancata
dalla calura –
lungo il canale profondo naviga –
piccola falce –
come la prima luna
nell'aria oscura –

16 maggio 1933

Paesaggio siculo

Sul greppo che di tenero verde
il nuovo grano riveste
cavalca
una donna –

tra la sella ed il grembo adagiato
porta il figlio
perché senz'urti
dorma –

lenta guardando il cielo che s'annuvola
rialza
fin sulla fronte
i lembi del mantello –

il bimbo vi si cela
tutto –
Così è dipinta
Maria nella sua fuga –

16 maggio 1933

I musaici di Messina

Sola
nella notte di rovina e di spavento
restavi tu
Maria –
incolume nell'abside
della tua cattedrale –
curva sul crollo orrendo
con il figlio ravvolto
nel tuo manto celeste –

Sopra il lamento
dei non uccisi –
sopra il fumo e la polvere
delle case degli uomini distrutte –
sopra il muglio del mare –
sognavi tu
un'altra dolce casa
vegliata
da un'altra azzurra Maria
in riva a un altro mare
dormente
tra le isole erbose –

La chiesa di Torcello sognavi
e l'oro pallido dei tramonti
sulla laguna
e la tranquilla via delle barche
nelle sere serene.

Di quell'oro nutrivi tu –
di quel sereno
Maria

nella spaventevole notte
la solitudine tua
materna
e più fulgente il tuo serto di stelle
più turchino il tuo manto
più soave il tuo figlio
levavi
dal fondo della chiesa crollata
sulle madri dei morti –

16 maggio 1933

Acqua alpina

Gioia di cantare come te, torrente;
gioia di ridere
sentendo nella bocca i denti
bianchi come il tuo greto;
gioia d'essere nata
soltanto in un mattino di sole
tra le viole
di un pascolo;
d'aver scordato la notte
ed il morso dei ghiacci.

(Breil) Pasturo, 12 agosto 1933

Respiro

Abbandono notturno
sul masso
al limite della pineta
e il tuo strumento fanciullesco
lentamente
a dire
che una stella
due stelle
sono nate
dal grembo del nevaio
ed un'altra sprofonda
dove la roccia è nera –

ed un lume va solo
sul ciglio del ghiacciaio
più grande di una stella
più fioco –
forse la lampada di un pastore –
la lampada di un uomo vivo
sul monte –
colloquio intraducibile
del tuo strumento
col lume dell'uomo vivo –

ascesa inesorabile dell'anima
di là dal sonno –
di là dal nero informe
stupore delle cose –

abbandono notturno
sul masso
al limite della pineta –

(Breil) Pasturo, 13 agosto 1933

Pensiero di malata

Tu porti il tuo telaio
nella mia stanza
ed il sole t'aiuta a lavorare
fiorendoti le mani
dei suoi petali bianchi.
Io penso che domani
quando sarò ancora malata
tu non t'alzerai più
per scendere nel giardino
a prendermi la buona acqua.
A sera le campane
assedieranno la mia stanza vuota,
desteranno negli angoli
siepi pallide di fantasmi.
La Notte s'insedierà
padrona
vicina al mio guanciale:
non ci sarai più tu
a scacciarla
chiudendomi le imposte
con le tue mani benedette dal sole.

Pasturo, 14 agosto 1933

Mano ignota

Tu non sai come sia triste
tornare per questo sentiero
fangoso
con queste vesti
imbrattate –
nella sera nera
nella nebbia nera –
brancolare tra i rododendri
stillanti –
fiutarne l'odore amaro –
per non cadere aggrapparmi
a questa mano che mi porgi
ignota
come il tuo volto immerso nel buio –
come il tuo nome dimenticato –
andare verso una tenda
che la pioggia confina
in fondo al suo pianto –
aver dovuto – voluto
scostare
nella notte più oscura
l'unica mano sorella –
andare verso un domani
che la solitudine chiude
in fondo al deserto...

(Breil) Pasturo, 15 agosto 1933

Il volto nuovo

Che un giorno io avessi
un riso
di primavera – è certo;
e non soltanto lo vedevi tu, lo specchiavi
nella tua gioia:
anch'io, senza vederlo, sentivo
quel riso mio
come un lume caldo
sul volto.

Poi fu la notte
e mi toccò esser fuori
nella bufera:
il lume del mio riso
morì.

Mi trovò l'alba
come una lampada spenta:
stupirono le cose
scoprendo
in mezzo a loro
il mio volto freddato.

Mi vollero donare
un volto nuovo.

Come davanti a un quadro di chiesa
che è stato mutato
nessuna vecchia più vuole
inginocchiarsi a pregare
perché non ravvisa le care
sembianze della Madonna

e questa le pare
quasi una donna
perduta –

così oggi il mio cuore
davanti alla mia maschera
sconosciuta.

20 agosto 1933

Cervino

Ribellione di massi –
Cervino –
volontà dilaniata.

Tu stai di contro alla notte
come un asceta assorto in preghiera.
Giungono a te le nuvole
cavalcando
su creste nere:
dalle regioni dell'ultima luce
portano doni di porpora e d'oro
al tuo grembo.
Tu affondi nei doni i ginocchi:
chiami le stelle
che t'inghirlàndino
nudo.

Cervino –
estasi dura –
vittoria
oltre l'informe strazio –
eroe sacro.

(Breil) Pasturo, 20 agosto 1933

Attendamento

Stanotte calerà il vento
immenso falco
sulla nostra tenda;
rapirà le nuvole
lacerate.
Sul nostro sonno
le stelle
sciolte dai veli
intrecceranno ghirlande
di fiamma e lentissime danze.
All'alba
sarà tepido il risveglio,
dolce come l'accendersi
di una lampada fioca:
il canto del torrente
sosterrà
fedele
sopra il suo grembo
il silenzio fanciullo.
Per noi, portati
dagli artigli notturni
del vento,
giaceranno i messaggi delle vette
alla soglia:
leggerli sarà lavare
nel puro azzurro
gli occhi le mani
il cuore –

(Breil, luglio 1933) – Pasturo, 21 agosto 1933

Notturno

Curva tu suoni
ed il tuo canto è un albero d'argento
nel silenzio oscuro –

Limpido nasce
dal tuo labbro – il profilo
delle vette – nel buio –

Muoiono le tue note
come gocce assorbite dalla terra –

Le nebbie sopra gli abissi
percorse dal vento
sollevano il suono spento
nel cielo –

(Breil, luglio 1933) – Pasturo, 22 agosto 1933

Distacco dalle montagne

Questa è la prova
che voi mi benedite –
montagne –

se nell'ora del distacco
la vostra chiesa m'accoglie
con la sua bianchezza di sole
e abbraccia forte la mia
malinconia
col canto
delle campane di mezzogiorno –

Nella piccola piazza
una donna ridente
vende le prugne rosse e gialle
per la mia ardente
sete –

sul gradino di pietra
della fontana
luccica la lama
di una piccozza –

l'acqua diaccia gela
il riso in bocca
a un fanciullo –
stampa lo stesso riso
sulla mia bocca –

Questa è la vostra
benedizione –
montagne.

Valtournanche, 30 luglio 1933
Pasturo, 23 agosto 1933

Ninfee

Ninfee pallide lievi
coricate sul lago –
guanciale che una fata
risvegliata
lasciò
sull'acqua verdeazzurra –

ninfee –
con le radici lunghe
perdute
nella profondità che trascolora –

anch'io non ho radici
che leghino la mia
vita – alla terra –

anch'io cresco dal fondo
di un lago – colmo
di pianto.

26 agosto 1933

Ai fratelli

Se dubitate ancora – vi dirò
che per me il vostro bene
è come un mazzo purpureo di fiori
portati a sera
in una stanza che si abbuia –

8 settembre 1933

Settembre

Boschi miei
che le nuvole del settembre
lente percorrono
mentre le prime foglie
crollano giù dai rami
e adunano umidore per i sentieri
intanto che nel cielo
gli alberi si denudano –
così come di sera
quando cadono le ombre
giù dalle cime
s'incupisce la terra
e in alto si rivelano
i disegni dei monti
e delle stelle –
miei boschi
vi è tanta pace
in questa vostra muta
rovina
che in pace ora alla mia
rovina penso
e sono come chi
stia sulla riva di un lago
e guardi miti le cose
rispecchiate dall'acqua –

8 settembre 1933

La roccia

Trine di betulla
nella valle
i pensieri –
ma ieri
quando soli erravamo
sulla nuda montagna –
il taglio
delle rupi più eccelse
era il disegno
della mia forza – in cielo.
E non parlare di rovina
tu cuore –
fin che uno spigolo nero a strapiombo
spacchi l'azzurro
e una corda s'annodi all'anima
bianca
come le ossa del falco
che sul torrione più alto
regalmente ha voluto
morire.

8 settembre 1933

Tristezza dei colchici

Con uno smunto sorriso i colchici
chiedon perdono d'essere nati –
amari
per la sete delle farfalle –
nudi
per le dita dei bimbi –

Giù dai castani piombano
i ricci duri –
trafiggono nel tonfo i gracili
tristi fiori.

8 settembre 1933

Amore dell'acqua

Dalla valle ch'è un lago
di sole – agitato dall'onda
delle campane –
fugge l'ombra
e si aduna
sotto un albero solo
dove il torrente
cade –

Tutta l'ombra e la frescura del mondo
si serrano intorno
alla fronte accaldata
del bimbo
che – sporto sul ciglio –
l'anima abbandonata
svincolare non sa
dalle argentee braccia
della cascata –

12 settembre 1933

La grangia

Concentrica una frangia
d'erbe recise
circonda la grangia –
pare che voglia
rispecchiare in terra
il cerchio di cime
che serra
il cielo –

Presso la nera soglia
due bambine
guardano un bricco di latte –
una ride –

La montagna – davanti a loro
nella quieta sera –
sembra un grand'angelo
con chiuse le ali
e il viso nascosto in preghiera –

12 settembre 1933

Morte delle stelle

Montagne – angeli tristi
che nell'ora del crepuscolo
mute piangete
l'angelo delle stelle – scomparso
tra nuvole oscure –

arcane fioriture
stanotte
nei bàratri nasceranno –

oh – sia
nei fiori dei monti
il sepolcro
degli astri spenti –

13 settembre 1933

Giardino chiuso

Come in una fiaba
triste – un altro giardino
si chiude – al margine
della strada –

Restano soli sul colle
i pioppi con le foglie leggère –
le siepi di bosso – le mammole
delle primavere
perdute –

Il bosco dei faggi
si fa tutto ombra
senza raggi
di cielo –
tomba
per gli uccelli
che saranno
morti –

Come in una fiaba
triste – il viandante che porti
per questa strada
la sua
fatica –
vede una fuga di cancelli
chiusi – su l'antica
erta – e imprigionati nel fondo
i castelli
dei sogni ciechi –

13 settembre 1933

Per un cane

Sei stato con noi per undici anni.
Una sera siamo tornati:
eri disteso davanti al cancello,
il muso nella polvere della strada,
le zampe già fredde, il dorso
tepido ancora.
Ora sei tutto
nella buca che ti abbiamo scavata.
Ma gli undici anni
della tua umile vita,
il gemere
per ognuno che partiva,
il soffrire di gioia
per ognuno che ritornava
– e verso sera
se qualcuno
per una sua tristezza
piangeva
tu gli leccavi le mani:
lo guardavi
e gli leccavi le mani –
oh, gli undici anni
del tuo muto amore
tutto qui
sotto questa terra
sotto questa pioggia
crudele?
Esitavi
sulla ghiaia umida:
sollevavi
una zampa – tremando.

Ora nessuno ti difende
dal freddo.
Non ti si può più chiamare.
Non ti si può più dare
niente.
Solo le foglie fradice morte
cadono su questo pezzo
di prato.
E pensare che altro rimanga
di te
è vietato:
di questo il nostro assurdo
pianto si accresce.

14 settembre 1933

La fornace

Bambina, nelle sere di novembre
poi che sui monti c'era
la guerra
e la legna costava
assai – come il latte, come il pane –
e la nebbia pesava
gelida sulla terra,
la mamma mi portava
– per scaldarci –
alla fornace.

Riflessi di brace
tingevano l'androne nero:
rossa nel fondo
divampava
la cupola del forno.
Dall'alto un vecchio scagliava
fascine e fascine.
Giù i tegoli in cerchio
sembravano una ruota
immota
a cui fosse mozzo la fiamma.
Si arrossava
la creta al centro:
verde era ancora al margine
dove più lento
arrivava il calore.

Si sgranavano in uno stupore
d'incanto – le pupille bambine.
Il vecchio dall'alto scagliava
fascine e fascine –

Si ritornava
per l’androne nero
con un bruciore di vampa negli occhi.
Fuori, un’immensa fontana
nella nebbia lanciava
il suo getto bianco e faceva
rabbrividire –
La casa pareva
lontana,
la strada sembrava non finire
più. Era notte, era novembre,
sui monti c’era
la guerra –

16 settembre 1933

Strada del Garda

Qui, dove i massi franano
nel lago vivo che al vento
fa rumore di mare
e in alto a scrosci gli ulivi
chiari rispondono,
giungeva la strada di Roma,
portava il più dolce
di quei poeti
con le sue tenere tristezze
a questo sole.

Di qui su l'arsura del Baldo
s'avviarono i soldati,
vestirono di fuoco i monti,
di sangue e d'anime.

Ora la nuova strada di Roma
guarda a quelle anime,
rompe la roccia:
listata di bianco e di nero
pianta oleandri e cipressi
a guardia delle pietre vinte,
che crescano – per quando
noi saremo morti –
ed ogni riva ne saluti le cime.

E su ogni riva si dica:
– quella è la strada che porta
pace e forza da Roma
verso i monti –

25 settembre 1933

Barche

Come una barca
da carico, a sera,
quando il maltempo viene sul lago –
se non è nel suo porto
toglie l'áncora
e si accinge a tornare –

e a lungo costeggiando va,
mentre un uomo, da bordo, contro il fondo
la sua pertica spinge e dalla riva
un vecchio, incappucciato – perché già
piove –
accompagna la gomena
fin ch'è doppiata
laggiù
la punta –
ed oramai la barca
più
non si vede –

così tu sai –
non è vero –
quale è il tuo villaggio, la tua casa,
quando ti colga la pioggia
in un porto straniero –
e la notte.

25 settembre 1933

Il cane sordo

Sordo per il gran vento
che nel castello vola e grida
è divenuto il cane.

Sopra gli spalti – in lago
protesi – corre,
senza sussulti:
né il muschio sulle pietre
a grande altezza lo insidia,
né un tegolo rimosso.

Tanto chiusa e intera
è in lui la forza
da che non ha nome
più per nessuno
e va per una sua
segreta linea
libero.

25 settembre 1933

Riflessi

Parole – vetri
che infedelmente
rispecchiate il mio cielo –

di voi pensai
dopo il tramonto
in una oscura strada
quando sui ciotoli una vetrata cadde
ed i frantumi a lungo
sparsero in terra lume –

26 settembre 1933

Attacco

Come
chi avanti l'alba
da un rifugio montano esca
nell'ombra fredda – e si metta per l'erta
cullando col passo il penoso
sonno – fin che in cima alle ghiaie
la guida sciolga
dalla spalla la corda ed additi
sulla roccia – l'attacco –

gioia e sgomento
allora – ed il sole che sorge
lo colgono insieme –

così
quando sul tuo
cammino s'apra
una siepe – ed al cuore s'affacci
la strada nuova.

26 settembre 1933

In sogno

Silenzio – grotte
di bianco cristallo
scavo
alle fiabe –

sul pianto il cuore trascorre –
sul lago celeste
con occhi grandi – cigliati
di glicine –

28 settembre 1933

Mattino

A lungo dalla luna infranto
or ricompone il lago
la sua incolumità
cerulea.
Presso l'isola inferma un cipresso
trae dalle nebbie le bende
per le ferite nascoste:
tacito prega, votando
il nuovo giorno – al cielo.

1° ottobre 1933

Notte e alba sulla montagna

Ascesa lenta
nel chiarore lunare,
mentre il sonno degli uomini ed i lumi
delle strade deserte
stagnano nelle valli –

ascesa – per i prati
vestiti
di seta bianca –
e gli alberi,
draghi neri
con occhi di luce
nelle paurose creste –

attonito ruscello, il sentiero
per trecce di ghiaia conduce
alla sua fonte
sul volto
della montagna dormente,
alla fronte
dove crescono le più fini erbe,
arsi capelli
e dalle sigillate pupille
un tremito
sulla vetta
nasce –

Ora lenta una stella s'invola
e già rapida trae
a sé in fondo al cielo lo stormo
delle sorelle:
muti sull'orma spenta

ricadono i battenti celesti
dell'alba –
Ora guance di lontani monti
fra le nebbie si volgono
nel risveglio, al primo
rossore –
Già escono dai campanili le voci
delle nuove campane:
a groppa a groppa,
urtandosi, salgono –
gregge in cerca del sole –

1° ottobre 1933

Bontà inesausta

Chi ti dice
bontà
della mia montagna? –
così bianca
sui boschi già biondi
d'autunno –

e qui nebbie leggere alitano
in cui sospesa
è la luce dei ragnateli –
della rugiada
sulle foglie morte –

mentre il terriccio accoglie
petali stanchi di ciclamini
e crochi, velati
di uno stesso pallore
roseo –

tu sana, venata di sole,
porti sul grembo
il cielo tutto azzurro –
chiami voli d'uccelli
alle tue mani
colme di vento –

Bontà
a cui beve il suo canto
il cuore
e di cantare non può più finire –
perché sei la sorgente che rifà

il sorso bevuto
ed il suo fondo
non si tocca mai.

Pasturo, 1° ottobre 1933

Non so

Io penso che il tuo modo di sorridere
è più dolce del sole
su questo vaso di fiori
già un poco
appassiti –

penso che forse è buono
che cadano da me
tutti gli alberi –

ch'io sia un piazzale bianco deserto
alla tua voce – che forse
disegna i viali
per il nuovo
giardino.

4 ottobre 1933

Sfiducia

Tristezza di queste mie mani
troppo pesanti
per non aprire piaghe,
troppo leggére
per lasciare un'impronta –

tristezza di questa mia bocca
che dice le stesse
parole tue
– altre cose intendendo –
e questo è il modo
della più disperata
lontananza.

16 ottobre 1933

Ritorno serale

Giungere qui – tu lo vedi –
dopo un qualunque dolore
è veramente
tornare al nido, trovare
le ginocchia materne,
appoggiarvi la fronte –

mentre le rocce, in alto,
sui grandi libri rosei del tramonto
leggono ai boschi e alle case
le parole della pace –

mentre le stanche campane discordi
interrogano il silenzio – sui misteri
della sera, dei cimiteri
dischiusi, dell'inverno
che si avvicina –

ed il silenzio allarga,
impallidendo, le braccia –
trae nel suo manto le cose
e persuade
la quiete –

18 ottobre 1933

L'armonica

In una radura – dolce
singhiozzante armonica –
vorrei udirti – a condurre
una danza di fanciulli
davanti a crode
che il tramonto dissangua e lascia esanimi
in braccio al cielo –

non qui – nella via dura
dove canti canzoni di miseria
e la tua voce è un tralcio
lucente d'edera
che abbraccia invano
le alte case nemiche.

19 ottobre 1933

Sole d'ottobre

Felci grandi
e garofani selvaggi
sotto i castani –

mentre il vento scioglie
l'un dopo l'altro
i nodi rossi e biondi
alla veste di foglie
del sole –

e il sole in quella
brucia
della sua bianca
bellezza
come un fragile corpo
nudo –

20 ottobre 1933

Stelle cadenti

Quante! così da pensare
che il vento,
l'immenso
fanciullo supino,
le scagli per gioco oltre il ciglio
della sua culla affondata
di là dai monti,
nelle invisibili valli –

quante! così da pensare
a un improvviso migrare
di luminose rondini, in fuga
davanti al volo
lentissimo della luna –

Prodigiose stelle – zampilli
di aeree fontane –
piume scosse da un'ala
di fiamma – sui mondi –

fiori di mandorlo colti
negli orti
infiniti – che la notte disfoglia –

gioia effusa alla soglia
degli alti spazi – per celesti
sponsali –

ombre di faci ed echi
di canti astrali

sulla pena
degli uomini –

21 ottobre 1933

Venezia

Venezia. Silenzio. Il passo
di un bimbo scalzo
sulle fondamenta
empie d'echi
il canale.

Venezia. Lentezza. Agli angoli
dei muri sbocciano
alberi e fiori:
come se durasse
un'intera stagione il viaggio,
come se maggio
ora
li sdipanasse
per me.

Al pozzo di un campiello
il tempo
trova un filo d'erba tra i sassi:
lega con quello
il suo battito all'ala
di un colombo, al tonfo
dei remi.

22 ottobre 1933

Ammonimento

Dunque, io non vedrò mai più i tuoi occhi
puri come li vidi
la prima sera, biondi
come capelli – e chiari
come lampade lievi.
Io so quale sabbia li intorbidi
ora – quale tristezza
che fu già mia.
Sgomenta guardo
nascere in te la vita
ch'io già vissi e scontai e spogliai
d'ogni velo. Vorrei
aver ora la voce di tua madre
per poterti parlare
senza parlarti di me.
Vorrei dirti:

– oh, non fermiamoci qui, dove il vento
svelse un albero sulla nostra strada
che stramazzò
in forma di croce.
Oh, non pensiamo che basti il pianto
ad accender la lampada dei morti.
Olio vuole la lampada
e legno il fuoco:
fiamma non nasce dal nostro alito solo.
Ma immensa foresta è la vita
con alberi e sentieri
infiniti. Bisogna
guardare a fondo, troncare
i rami morti con la nostra scure:
alto sarà

nella radura ultima – il fuoco,
più alto se più grande
sarà stata la pena.

Dolce sarà
al boscaiolo stanco
stendersi allora – presso la catasta
da lui accesa
e con quel lume caldo
affondare nel sonno.

28 ottobre 1933

Cimitero di paese

Cimitero di paese,
che lontani monti
col pensoso sorriso della prima neve
guardano; dove entrano i vivi
nel pallido meriggio come
in un amato giardino.

Portano i bimbi chiari crisantemi
colti alle siepi
degli orti: incespicano
nei lunghi steli, salendo
pei gradini di pietra
al cancello.

Portano le mamme
altri bimbi sul petto, quieti
nel sonno, rosei
come crisantemi
più grandi.

Sui tumuli, con le corolle
più belle, disegnano croci
e parole di pace
le mani degli uomini: pure
nell'amorosa opera come
le mani dei fanciulli
alle quali s'intrecciano.

Vola dai boschi, a brevi
intervalli, un trillo d'uccello

e s'ode
sopra il fruscio dei passi
nel viale bianco.

2 novembre 1933

Sera sul sagrato

Scesa dal monte, la chiesa
stupì – quando vide
il lago – e bianca
si fermò qui.

Ora sorregge
con la sua porta chiusa le mie spalle
stanche: s'aduna
nei miei occhi la pace
del suo gran volto
per guardare la sera.

Io guardo i cipressi vicini,
il villaggio, le sponde,
l'isola lunga, fasciata
di luci e di onde:
nell'isola,
nel profondo del bosco,
una casa, la casa del sogno –

Io sento le tombe vicine –
che pure non scorgo – tremare
in ogni erba che sgorga
ai miei piedi.

Io penso che ormai possa il cuore
sostare
se per lui laggiù battono
i grandi cuori invisibili
dei campanili –

se un unico cielo
arde lento e confonde
in una luce estrema
i sogni, gli assenti –
e i dolenti
desideri dei vivi
placa – facendoli veri
ed eterni.

3 novembre 1933

Riconciliazione

La luna è vitrea e lieve
ancora, nel vasto tramonto.
Perché non uscire
di qui? Perché non portare
laggiù, nelle strade, la mia
nostalgia dei monti perduti,
tradurla in amore
pel mondo
che amai?

Già troppo soffersero
del mio rancore
le cose: e vivere non si può
a lungo
se silenziosamente piangono
le cose, su noi.

Stasera, stasera,
quando i volti degli uomini
saran macchie d'ombra e non più –
quando le case
al sommo
sole vivranno di luce –
io troverò me stessa
nel vecchio mondo
e profondo
sarà l'abbraccio
delle cose con me.

Riconteremo i fili
che legano i miei occhi
agli occhi illuminati delle vie,

riconteremo i passi
per cui l'anima versa
la sua sete di strade
sopra la buia terra –

Forse le cose
perdoneranno ancora –
forse, facendo
delle gran braccia arco
su me,
pergolati di sogni stenderanno
domani sovra il mio
solitario meriggio.

3 novembre 1933

All'amato

Tu sei tornato in me
come la voce
d'uno che giunge,
ch'empie a un tratto la stanza,
quando è già sera.

Qui c'era
soltanto il peso
delle ore irrigidite
in grigiore di pietra,
il passo lento
dei fossati in pianura
sotto nudi archi di pioppi. C'erano
al termine delle case
le povere strade
di novembre, straziate di solchi...

E c'era questo mio vivere
che ripete ogni giorno
il gesto di una mano di carne
calata giù nel profondo
a chiudere la bocca di Dio.
C'era la sabbia
che giù si rovescia
sull'incendio di Dio.
C'era la falce
che morde
le erbe di Dio.
La pietra
che cade sui cani,
sugli uccelli di Dio.

Allora sei tornato
tu – in me –
come la voce
d'uno che giunge,
che nessuno più attende
perché è già sera.

Sei ritornato in me
come un fedele
stormo di rondini
che riappendon nidi
al tetto oscuro del cuore.
Sei ritornato come uno sciame
d'api che cercano
i loro fiori – e indorano
l'orto nativo.

Ora nell'orto io sento
crescere i nuovi
miei fiori per te. Sento spuntare
sui pascoli, dove
la neve si è sciolta,
gli anemoni gialli
e dal suolo del cielo
le stelle – che a quelli somigliano –
le stelle – dopo che il gelo
del vespro è scomparso

e la notte è la terra feconda –
il monte
primaverile
di Dio.

6 novembre 1933

La morte bionda

– Bella... piccola... bionda... –
dicevi tu – ed un lume
che disciogliева nella via nebbiosa
la sua chioma smorta
rispondeva
alle parole tue di pianto.

– Bionda... bella... – ed ai piedi
dei cancelli, lungo pallidi giardini,
stridevano nel passo
le foglie di novembre, chiare
in terra come nuvole cadute:
pareva che non una donna
tu piangessi così,
ma una lontana
stagione morta,
l'autunno ed il suo
sepolcro d'oro...

– Piccola... bella... – e ogni cosa
che dentro un velo di nebbie dorme,
ogni cosa che in voce
di chiuso pianto parla,
ogni cosa che sa
d'essere per morire
era fra noi
con la sua triste
biondezza...

9 novembre 1933

Il cielo in me

Io non devo scordare
che il cielo
fu in me.

Tu
eri il cielo in me,
che non parlavi
mai del mio volto, ma solo
quand'io parlavo di Dio
mi toccavi la fronte
con lievi dita e dicevi:
– Sei più bella così, quando pensi
le cose buone –

Tu
eri il cielo in me,
che non mi amavi per la mia persona
ma per quel seme
di bene
che dormiva in me.

E se l'angoscia delle cose a un lungo
pianto mi costringeva,
tu con forti dita
mi asciugavi le lacrime e dicevi:
– Come potrai domani esser la mamma
del nostro bimbo, se ora piangi così? –

Tu
eri il cielo in me,

che non mi amavi
per la mia vita
ma per l'altra vita
che poteva destarsi
in me.
Tu
eri il cielo in me
il gran sole che muta
in foglie trasparenti le zolle

e chi volle colpirti
vide uscirsi di mano
uccelli
anzi che pietre
– uccelli –
e le lor piume scrivevano nel cielo
vivo il tuo nome
come nei miracoli
antichi.

Io non devo scordare
che il cielo
fu in me.

E quando per le strade – avanti
che sia sera – m'aggiro
ancora voglio
essere una finestra che cammina,
aperta, col suo lembo
di azzurro che la colma.
Ancora voglio
che s'oda a stormo battere il mio cuore
in alto
come un nido di campane.
E che le cose oscure della terra
non abbiano potere
altro – su me,
che quello di martelli lievi

a scandere
sulla nudità cerula dell'anima
solo
il tuo nome.

11 novembre 1933

La voce

Aveva voce in te
l'universo
delle cose mute,
la speranza
che sta senz'ali nei nidi,
che sta sotterra
non fiorita.

Aveva voce in te
il mistero
di tutto che presso una morte
vuol diventare vita,
il filo d'erba
sotto le putride foglie,
il primo riso del bimbo salvato
a fianco di un'agonia
in una corsia
d'ospedale.

Or quando cade dagli alti
rami notturni
dei campanili – un rintocco –
e in cuore affonda come
il frutto dentro il campo arato –

allora hai voce
tu in me –
con quella nota
ampia e sola
che dice i sogni sepolti

del mondo, l'oppressa
nostalgia della luce.

10 dicembre 1933

Cose

Questo pugno di terra
che raccolse
per me – sul Palatino
la tua mano pura

io verserò nell'urna
di smorta argilla
che sul rosso lido di Selinunte
un pescatore mi donò, sporgendo
il braccio fra i cespugli di lentischio.

E tu non dire
ch'io perdo il senso e il tempo
della mia vita –
se cerco nella sabbia
il sole e il pianto
dei mondi –
se getto nelle cose la mia anima
più grande – e credo
ad immense magie...

10 dicembre 1933

Fiume

O giorno,
o fiume,
o irreparabile andare –

crescono alle tue rive le menzogne
come ghiaie dure –
s'innalza alla tua foce un bianco
sepolcro per le tue
onde –

o giorno,
o fiume,
o irreparabile andare che percorre l'anima –

o mia anima
in solitudine eletta
perché viva entri
nella sua bara.

17 dicembre 1933

Nàufraghi

Nàufraghi sugli scogli
ognuno narra
a sé solo – la storia di una dolce casa
perduta,
sé solo ascolta
parlare forte
sul deserto pianto
del mare –

Triste orto abbandonato l'anima
si cinge di selvagge siepi
di amori:
morire è questo
riscoprirsi di rovi
nati in noi.

19 dicembre 1933

Salire

Saliremo sugli altipiani,
dove vola la rondine dell'alba
che bagna nelle fonti
le ali d'oro
ed intesse il nido
sulle case immense
dei monti.

Saliremo sugli altipiani
dove passan le nubi ad una ad una
lente a fior della neve
come velieri
su di un lago pallido.

Saliremo oltre i cembri, oltre i pini,
dove si è soli sotto il cielo nudo,
soli – se gridi nel silenzio il vento
il nostro nome
detto da Dio
e sia l'ora di andare.

19 dicembre 1933

Neve sul Grappa

O grande altare del Grappa, offerto
agli orizzonti
con il marmo bianco
della tua neve,
con le corone di roseti spogli – e i cipressi
che salgono lenti, per scale
di colli – ai tuoi fianchi –

o vasto monte aperto
sopra la terra
come le braccia di un eroe fanciullo
che in silenzio si dia
alla morte –

non dal sole,
ma dal tuo profondo cuore,
dal sangue
che il tuo cuore di roccia accolse
nasce il raggio
che ti fa luminoso nella sera –

e le nubi su te
lampade accese
alle soglie del cielo.

Asolo-Bassano, 30 gennaio 1934

Desiderio di cose leggere

Giuncheto lieve biondo
come un campo di spighe
presso il lago celeste

e le case di un'isola lontana
color di vela
pronte a salpare –

Desiderio di cose leggere
nel cuore che pesa
come pietra
dentro una barca –

Ma giungerà una sera
a queste rive
l'anima liberata:
senza piegare i giunchi
senza muovere l'acqua o l'aria
salperà – con le case
dell'isola lontana,
per un'alta scogliera
di stelle –

1° febbraio 1934

Nevai

Io fui nel giorno alto che vive
oltre gli abeti,
io camminai su campi e monti
di luce –
Traversai laghi morti – ed un segreto
canto mi sussurravano le onde
prigioniere –
passai su bianche rive, chiamando
a nome le genziane
sopite –
Io sognai nella neve di un'immensa
città di fiori
sepolta –
io fui sui monti
come un irto fiore –
e guardavo le rocce,
gli alti scogli
per i mari del vento –
e cantavo fra me di una remota
estate, che coi suoi amari
rododendri
m'avvampava nel sangue –

1° febbraio 1934

Pensiero

Avere due lunghe ali
d'ombra
e piegarle su questo tuo male;
essere ombra, pace
serale
intorno al tuo spento
sorriso.

maggio 1934

Minacce

Campani
frane lente di suoni
giù dai pascoli
dentro valli di nebbia.

Oh, le montagne,
ombre di giganti,
come opprimono
il mio piccolo cuore.

Paura. E la vita che fugge
come un torrente torbido
per cento rivi.
E le corolle dei dolci fiori
insabbiate.

Forse nella notte
qualche ponte verrà
sommerso.

Solitudine e pianto –
solitudine e pianto
dei làrici.

Breil, 3 agosto 1934

Incredulità

Le stelle – le nubi esiliate
di là dal vento
chissà per quali
spazi ignoti camminano.

Ieri correvan ombre
sulle nevi del colle –
come dita leggere.

Occhi non miei
che la nebbia invade –

Breil, 3 agosto 1934

Sentiero

È bello camminare lungo il torrente:
non si sentono i passi, non sembra
di andare via.
Dall'alto del sentiero si vede la valle
e cime lontane ai margini
della pianura, come pallidi scogli
in riva a una rada – Si pensa
com'è bella, com'è dolce la terra
quando s'attarda a sognare
il tuo tramonto
con lunghe ombre azzurre di monti
a lato – Si cammina lungo il torrente:
c'è un gran canto che assorda
la malinconia –

Breil, 9 agosto 1934

Rifugio

Nebbie. E il tonfo dei sassi
dentro i canali. Voci d'acqua
giù dai nevai nella notte.

Tu stendi una coperta per me
sul pagliericcio:
con le tue mani dure
me l'avvolgi alle spalle, lievemente,
che non mi prenda
il freddo.

Io penso
al grande mistero che vive
in te, oltre il tuo piano
gesto; al senso
di questa nostra fratellanza umana
senza parole, tra le immense rocce
dei monti.
E forse ci sono più stelle
e segreti e insondabili vie
tra noi, nel silenzio,
che in tutto il cielo disteso
al di là della nebbia.

Breil, 9 agosto 1934

Pianura

Certe sere vorrei salire
sui campanili della pianura,
veder le grandi nuvole rosa
lente sull'orizzonte
come montagne intessute
di raggi.

Vorrei capire dal cenno dei pioppi
dove passa il fiume
e quale aria trascina;
saper dire dove nascerà il sole
domani
e quale via percorrerà, segnata
sul riso già imbiondito,
sui grani.

Vorrei toccare con le mie dita
l'orlo delle campane, quando cade il giorno
e si leva la brezza:
sentir passare nel bronzo il battito
di grandi voli lontani.

n.d.

Preghiera alla poesia

Oh, tu bene mi pesi
l'anima, poesia:
tu sai se io manco e mi perdo,
tu che allora ti neghi
e taci.

Poesia, mi confesso con te
che sei la mia voce profonda:
tu lo sai,
tu lo sai che ho tradito,
ho camminato sul prato d'oro
che fu mio cuore,
ho rotto l'erba,
rovinata la terra –
poesia – quella terra
dove tu mi dicesti il più dolce
di tutti i tuoi canti,
dove un mattino per la prima volta
vidi volar nel sereno l'allodola
e con gli occhi cercai di salire –
Poesia, poesia che rimani
il mio profondo rimorso,
oh aiutami tu a ritrovare
il mio alto paese abbandonato –
Poesia che ti doni soltanto
a chi con occhi di pianto
si cerca –
oh rifammi tu degna di te,
poesia che mi guardi.

Pasturo, 23 agosto 1934

Odor di verde

Odor di verde –
mia infanzia perduta –
quando m'inorgoglivo
dei miei ginocchi segnati –
strappavo inutilmente
i fiori, l'erba in riva ai sentieri,
poi li buttavo –
m'ingombran le mani –

odor di boschi d'agosto – al meriggio –
quando si rompono col viso acceso
le ragnatele –
guadando i ruscelli il sasso schizza
il piede affonda
penetra il gelo fin dentro i polsi –
il sole, il sole
sul collo nudo –
la luce che imbiondisce i capelli –

odor di terra,
mia infanzia perduta.

Pasturo, agosto 1934

Rinascere

I

Devi essere solo la mia
gioia:
di là
dalla mia carne greve,
lungi anche
dal cimitero muto fra le rocce, la neve,
dov'è
il mio amore sepolto.

Chiuse
tante vite.

E tu sei nuovo,
al sole, sulla terra
smossa –
come un seme che forse
non si vuole che germogli –
ma così basta
a nutrire un uccello.

Uccello lieve
il mio cuore
ed ogni tuo sguardo
un suo volo profondo
in un remoto tempo
azzurro –

solo la mia
gioia
e rinascere in te.

II

Rinascere – non sai:
una sera
che tutte le lampade sembrano
infrante
e le mani sono un lungo peso
– il senso delle cose toccate
nessuno ti cancellerà più
dalle dita –
una sera
viene il vento,
con la veste piena di stelle,
di foglie rubate all'autunno,
di uccelli salvati –
e te li libera sul viso,
dice:
– Vola via,
tu sei nuova,
io ti porto –

«Tu sei nuova»: ti accendi nella notte
come dall'ansito di antiche vigilie,
come all'origine dei giorni,
sull'informe sonno
un albore –

Rinascere – non sai:
come la prima carezza vergine
della luce
sul volto di una terra cieca –

e nelle grotte il destarsi dei pastori,
il dolce moto
del gregge che si svincola dall'ombra,
ch'esce –
con i suoi agnelli nati
nell'ultima notte,
con i suoi campani
lavati all'ansa
del fiume –

Milano, 24 ottobre-8 novembre 1934

Tre sere

La prima sera ci fu la pioggia
nera assordante –
ed io al crocicchio,
a decifrare nomi
di strade sconosciute –
sola alle soglie
di una città nuova,
sola con la mia preda
di felicità – con l'eco
della tua voce.

Poi, sopra i monti, fu la limpidezza
bruciante della notte –
e sulla neve riflesse
le innumeri stelle
ed adagiate nell'argenteo sonno
l'esili ombre
dei rami –
Io sola, io limpida tutta,
nel vento lieve di settentrione,
io in pace
con la chiarezza del cielo,
con il diffuso ricordo
del tuo sguardo.

Stasera la nebbia, candore sordo,
intorno al tremito della mia
attesa – velo
sulla parola non detta,
difesa – per la paura del tempo,
per la fretta
di vivere.

Pausa – Di nebbia s'avvolge
il cuore
colmo e sospeso,
per non udire
i suoi battiti.

1° dicembre 1934

Funerale senza tristezza

Questo non è esser morti,
questo è tornare
al paese, alla culla:
chiaro è il giorno
come il sorriso di una madre
che aspettava.
Campi brinati, alberi d'argento, crisantemi
biondi: le bimbe
vestite di bianco,
col velo color della brina,
la voce colore dell'acqua
ancora viva
fra terrose prode.
Le fiammelle dei ceri, naufragate
nello splendore del mattino,
dicono quel che sia
questo vanire
delle terrene cose
– dolce –,
questo tornare degli umani,
per aerei ponti
di cielo,
per candide creste di monti
sognati,
all'altra riva, ai prati
del sole.

3 dicembre 1934

Secondo amore

Piansi bambina, per un mondo
più grande del mio cuore,
dentro il mio cuore
rinchiuso – morto;
piansi con occhi giovani,
penosamente arsi arrosati –
e sola vicina alla terra
domandavo agli oggetti muti,
alle radici dei fiori divelti,
alle ali degli insetti caduti,
il perché
del morire.

Mi rispondeva la terra, fedele,
prima ancora che fosse
primavera colma,
da anni e secoli – sotto un arbusto
con una pallida primula
rifiorita.
E in essa era la linfa,
era il respiro – di tutte
le primavere perdute,
in ogni fiore vivo la bellezza
degli innumeri fiori
spenti.

Oh grazia – ora dico –
del secondo amore,
giovinezza profonda intessuta
di vinte vecchiezze, di esistenze percorse –
– ed ogni esistenza, una ricchezza
conquisa, ogni pianto deterso

un sorriso più lungo imparato,
ogni percossa, una carezza più lieve
che si vorrebbe donare –
oh benedetto il mio pianto
– ora dico –
benedetti i miei occhi
di bimba, arrossati riarsi –
benedetto il soffrire, il morire
di tutti i mondi che portai nel cuore –
se dalla morte si rinasce
un giorno,
se dalla morte io rinasco
oggi – per te,
me stessa offrendo
alle tue mani – come
una corolla
di dissepolte vite.

4 dicembre 1934

Bellezza

Ti do me stessa,
le mie notti insonni,
i lunghi sorsi
di cielo e stelle – bevuti
sulle montagne,
la brezza dei mari percorsi
verso albe remote.

Ti do me stessa,
il sole vergine dei miei mattini
su favolose rive
tra superstiti colonne
e ulivi e spighe.

Ti do me stessa,
i meriggi
sul ciglio delle cascate,
i tramonti
ai piedi delle statue, sulle colline,
fra tronchi di cipressi animati
di nidi –

E tu accogli la mia meraviglia
di creatura,
il mio tremito di stelo
vivo nel cerchio
degli orizzonti,
piegato al vento
limpido – della bellezza:
e tu lascia ch'io guardi questi occhi
che Dio ti ha dati,

così densi di cielo –
profondi come secoli di luce
inabissati al di là
delle vette –

4 dicembre 1934

Lieve offerta

Vorrei che la mia anima ti fosse
leggera
come le estreme foglie
dei pioppi, che s'accendono di sole
in cima ai tronchi fasciati
di nebbia –

Vorrei condurti con le mie parole
per un deserto viale, segnato
d'esili ombre –
fino a una valle d'erboso silenzio,
al lago –
ove tinnisce per un fiato d'aria
il canneto
e le libellule si trastullano
con l'acqua non profonda –

Vorrei che la mia anima ti fosse
leggera,
che la mia poesia ti fosse un ponte,
sottile e saldo,
bianco –
sulle oscure voragini
della terra.

5 dicembre 1934

Le mani

Quando ti ho preso le mani
ho capito
come sei giovane.

Le mie dita sono sottili:
si plasmano alle cose
e a lungo ne conservano
l'impronta –
per un spino sanguinano,
per una piuma tremano
di dolcezza.
Le mie mani son così pallide:
attraversate dalla vita
in ogni senso – come
da lunghe vene
azzurre.
Forse la loro pace
è fra i tenui riccioli
di un bimbo.

Le tue dita sono rudi:
afferrano le cose
per esserne padrone,
non si scalfiscono a nessuna
pietra.
Mani di colore vivo,
che hanno toccato solo
quel che hanno scelto –
mani che sanno scavare
nella ghiaia dei fiumi,

nel fango delle grotte,
per estrarne tesori.

Non tu,
ma le tue mani giovani
dicono alle mie mani,
a me: Come siete
vecchie.

6 dicembre 1934

Pausa

Mi pareva che questa giornata
senza te
dovesse essere inquieta,
oscura. Invece è colma
di una strana dolcezza, che s'allarga
attraverso le ore –
forse com'è la terra
dopo uno scroscio,
che resta sola nel silenzio a bersi
l'acqua caduta
e a poco a poco
nelle più fonde vene se ne sente
penetrata.

La gioia che ieri fu angoscia,
tempesta –
ora ritorna a brevi
tonfi sul cuore,
come un mare placato:
al mite sole riapparso brillano,
candidi doni,
le conchiglie che l'onda
lasciò sul lido.

7 dicembre 1934

Confidare

Ho tanta fede in te. Mi sembra
che saprei aspettare la tua voce
in silenzio, per secoli
di oscurità.

Tu sai tutti i segreti,
come il sole:
potresti far fiorire
i gerani e la zàgara selvaggia
sul fondo delle cave
di pietra, delle prigioni
leggendarie.

Ho tanta fede in te. Son quieta
come l'arabo avvolto
nel barracano bianco,
che ascolta Dio maturargli
l'orzo intorno alla casa.

8 dicembre 1934

Le tue lacrime

Non sai che stagno
specchiò il mio viso – che ombre
vi restarono impresse –

Lo lavai con manciate di neve
sui valichi, prima dell'alba;
me l'asciugò la brezza, spegnendo
nella sua corsa
lieve – le ultime stelle.

Me l'arse il sole, sulle vette – al meriggio –
attraverso millenni
di cupo azzurro,
tra cerchi immensi di creste e lame
d'eterni ghiacci.

Poi – lento caduto il tramonto
lungo le rocce sugli altipiani
come una vela rossa – sul ponte
di una sconfinata
nave – mi chinai alle polle,
toccai col mento la terra,
con i capelli le viole
pallide – intrise dalla bruma
serale. Sui pascoli invano
attesi la notte,
la rugiada e la resina giù dai rami
scarni dei làrici –

Non sai che stagno
specchiò il mio viso – che ombre

vi restavano impresse –

Ma ieri – sulla soglia – era il silenzio
nitido e largo
intorno a noi – come il cielo
in una notte alpestre,
luminosi i tuoi occhi come un lento
volgere d'astri lontani –

e sul mio viso scesero le tue lacrime,
più fresche della neve
più limpide del sole
più dolci della terra al màrgine
delle sorgenti –
sul mio viso scesero le tue lacrime,
rugiada e resina giù dai rami
di misteriosi làrici – fragranza
stillante in un'arcana
foresta – da tronco a tronco,
dalla tua alla mia
anima –

Non sai che lago
specchia ora il mio viso – che luce
ne lava l'ombre.
Non sai che mare
di purezza
sorregge ora – nel buio –
questa barca
di solitudine –

15 dicembre 1934

L'àncora

Sono rimasta sola nella notte:
ho sul volto il sapore del tuo pianto,
intorno alla persona
il silenzio – che sul tonfo
della porta richiusa, a larghi cerchi
si riappiana.

Lenta nell'acqua oscura
del cuore –
lenta e sicura,
tra le alghe profonde
gli echi delle tempeste le lunghe correnti
le molli ghirlande di onde
intorno a inabissati
scogli –

lenta e sicura,
fino alle sabbie segrete giacenti
sul fondo dell'essere –
fida tenace, con i suoi tre bracci
lucenti
penetra l'àncora
delle tue tre parole:
– Tu aspetta me –.

16 dicembre 1934

Inverno lungo

Per un raggio di sole non è
lo sgelo.
Ancora l'intrico pallido
delle ombre
è l'unico ornamento della terra
sotto gli alberi nudi.

In Norvegia – ora – sul ghiaccio
danzano i bimbi, vestiti
di panno rosso;
con le lame dei pattini disegnano
fiori d'argento
su quella che fu
acqua oscura –

Oh, agghiacciarsi ancor più,
esser per gli occhi
che dalle rive guardano
solo una lastra lucente, dura –
mentre dissolvono le nebbie, ai limiti
delle foreste – i miraggi
dell'aurora –

31 dicembre 1934

Le strade

Io sono avvezza
a camminare sola per le strade.

Allora tutti i bambini
che non hanno abbastanza pane
gridano dentro di me,
girano intorno
ai primi fanali che s'accendono
con i loro capelli pallidi
nella sera.

Allora sulle soglie
si fermano stanchi esseri,
uomini con occhi di poveri –
e pare che la terra
li espella dal suo grembo,
che anch'essi siano per gridare
come bambini che stanno
nascendo.

Allora dai campanili, perduti
nella foschia,
cadono lenti rintocchi, cercano
il cuore di chi va solo
come leggere foglie – in volo
verso il grembo
di un cupo fiume –

31 dicembre 1934

Annotta

Il colore dei monti dice
il passare del tempo –
Ed è sera
quando le rocce svestono
il loro umano riso
di fiamma
e s'esiliano le cime
oltre il crepuscolo.
Allora muti – dal fondo
delle valli – crescon gli abeti,
le gigantesche foreste nere
a sommergere il giorno:
laghi d'azzurro invadono la neve,
mentre la notte ingoia
laggiù – le strade
e lenta scende la terra
nel buio.

S. Martino, 7 gennaio 1935

Evasione

La strada porta tra case oscure –
ma in alto
salpo dal braccio candido
del valico, come da un molo –
lascio nella terrena ombra
i faticosi lumi degli uomini,
il loro fioco alone
sulla neve.

Via – negli occhi raccolta
la gioia dura d'essere
creatura in sé conchiusa,
unica nel freddo cielo
invernale –
diritta ai piedi
d'invisibili antenne,
sulla nave che ha vele di nubi
e fari di stelle,
a prora un volto
d'attesa.

11 gennaio 1935

Sgorgo

Per troppa vita che ho nel sangue
tremo
nel vasto inverno.

E all'improvviso,
come per una fonte che si scioglie
nella steppa,
una ferita che nel sonno
si riapre,

perdutamente nascono pensieri
nel deserto castello della notte.

Creatura di fiaba, per le mute
stanze, dove si struggono le lampade
dimenticate,
lieve trascorre una parola bianca:
si levano colombe sull'altana
come alla vista del mare.

Bontà, tu mi ritorni:
si stempera l'inverno nello sgorgo
del mio più puro sangue,
ancora il pianto ha dolcemente nome
perdono.

12 gennaio 1935

Fuochi di S. Antonio

Fiamme nella sera del mio nome
sento ardere in riva
a un mare oscuro –
e lungo i porti divampare roghi
di vecchie cose,
d'alghe e di barche
naufragate.

E in me nulla che possa
esser arso,
ma ogni ora di mia vita
ancora – con il suo peso indistruttibile
presente –
nel cuore spento della notte
mi segue.

17 gennaio 1935

Echi

Echi di canti vanno
sui pascoli alti,
treccie di falciatrici splendono
nel cielo.

Da lontani orizzonti viene il vento
e scrive parole segrete
su l'erba:
le rimormorano i fiori
tremando nelle lievi
corolle.

Echi di canti vanno
sui pascoli alti,
treccie di falciatrici splendono
nel cielo.

26 gennaio 1935

Il daino

Sommesso torni, vento mattutino
lungo pallide sabbie, fra i ginepri,
dall'alba che si leva
sulle lagune.

E il tuo soffio si spaura
sotto gli archi dei pini.

Occhi pavidi, occhi larghi
nel tepore di bianche fronti
dietro alte siepi spiano
sul mondo.

E t'ergi all'orizzonte,
sui tuoi fragili zoccoli,
stupito
daino nella brughiera.

27 gennaio 1935

Gelo

Brinato è il campo, dove tra le spighe
frusciò la mia veste leggera.

Ora dove tu sei
ravvia l'inverno
chiome di ghiaccio alle fontane:
il vento,
per le bianche cattedrali
delle foreste – ànima rotte querele
d'organo, dentro i rami.

Ora sepolti arpeggi
corron sul fondo
dei laghi: contro mute
gelide sponde muoiono,
infrangendosi.

28 gennaio 1935

Atene

Con l'alba
dal mare salivo
per alte scalee: si piegavano
cieli d'attesa ai margini
della pietra.

E traboccò per la spianata il sole.

Tepidi fiotti corsero nei fusti
delle colonne,
dense vene si aprirono
di linfa bionda:

si levarono i templi nella luce
come mani vive

e misuravo tra le aeree dita
gli spazi
di un eterno mattino.

(20 aprile 1934) 28 gennaio 1935

Africa

Terra,
sei di chi affonda
nella sabbia le mani,
in un'esigua conca
pianta un ulivo.

Non hai strade: misuri
il tempo del cammino
con la distanza dei pozzi,
cippi sono
le bianche tombe dei tuoi santi
nel deserto.

Non hai bàratri: proteso
è il tuo colore biondo
senza confini.
Abbeverate di cammelli chiamano
lembi di cielo
sul tuo volto scoperto.

Cielo
che dilati le stelle,
vento – che imbianchi
d'eucalipti le sere,

o terra,
cielo vento –
libertà
di sogni.

28 gennaio 1935

Il sentiero

Sperare
mentre il domani intatto sconfina
e tosto
dimenticare il volto
delle speranze, nel tempo vero.

Viali sognavi per la vita
e un esile
sentiero ti rimane.

Una sera
la tua montagna si ricorderà
di averti avuta
bambina
sul suo grembo d'erba;
e lontana vedendoti
a cercare
su perse rive le ombre
delle tue cose sepolte,
ti chiamerà coi cenni
antichi – delle campane.

Il tuo sentiero ti ricondurrà
lungo la valle,
per la conca prativa – al muro candido,
al cancello socchiuso.

Lassù, nel breve orto disteso
ai ritorni delle stagioni, ai cieli
della neve e dei venti
primaverili,

verranno bocche
di bambini sconosciuti
a cantare
sulla tua solitudine.

30 gennaio 1935

Un destino

Lumi e capanne
ai bivi
chiamarono i compagni.

A te resta
questa che il vento ti disvela
pallida strada nella notte:
alla tua sete
la precipite acqua dei torrenti,
alla persona stanca
l'erba dei pascoli che si rinnova
nello spazio di un sonno.

In un suo fuoco assorto
ciascuno degli umani
ad un'unica vita si abbandona.

Ma sul lento
tuo andar di fiume che non trova foce,
l'argenteo lume di infinite
vite – delle libere stelle
ora trema:
e se nessuna porta
s'apre alla tua fatica,
se ridato
t'è ad ogni passo il peso del tuo volto,
se è tua
questa che è più di un dolore

gioia di continuare sola
nel limpido deserto dei tuoi monti

ora accetti
d'esser poeta.

13 febbraio 1935

Radici

Gronda di neve disciolta
la casa. Trasale
l'anima al tonfo delle gocce fitte.

Così sfacendosi
dolorano le cose.

Ma lontano,
oltre i veli del sole e gli insicuri riflessi,
oltre il trascolorare delle ore,
vive un esiguo mondo
d'erba e di terra.

Radici
profonde nel grembo di un monte
a Primavera votate
si celano.

E conosco
io sola
il nome d'ogni fiore
che fiorirà,
la luce ed il pezzo di zolla
in cui prima riappaia la tenera
esistenza delle foglie.

Radici
profonde nel grembo di un monte
conservano un sepolto segreto
di origini –

e quello per cui mi riapro
stelo
di pallide certezze.

15 febbraio 1935

Abbandono

Tronco reciso di betulla
giaci
in un solco:
a rosse onde declina
il tramonto pei cieli.

E sopra te le nubi
sandali d'oro calzano nel vento
per raggiungere
i fiumi.

Tu stai – bambino desto
nella tua culla
di terra:
mentre a un acceso volgere di mondi
con bianchi occhi s'incanta
la tua immobilità.

16 febbraio 1935

Stanchezza

Svenata di sogni
ti desti:
ti è pallida coltre
il cielo mattinale.

Come a un mortale
pericolo scampata,
con gesto umile – i gridi
delle campane scosti:

debolmente,
preghi nel poco sole
un silenzio.

17 febbraio 1935

Dopo la tormenta

A mezza notte
col vento
una folata di stelle
s'abbatteva ai vetri.

Fino all'alba
velieri argentei di brume
in laghi d'ombra
percorrevano i prati.

Poi la luce
lenta riallacciava sulla fronte
del cielo
la corona delle montagne:

che si scopriva nel sole,
candida
di fresca neve – armoniosa
come un arco
di fiori.

18 febbraio 1935

Fiabe

Vai a un reame di vento,
cauta rechi
sul capo una ghirlanda
di primule.

Sugli alberi le donne
con i capelli verdi,
nelle cascate i nani
che sanno il destino –

i pallidi guerrieri fra le barance,
le fanciulle che muoiono
per desiderio di sole –

e le capanne abbandonate
fra le miosotidi,
le pianure
d'asfodeli in cima alle rocce –

porte che si spalancano
su tesori sepolti,
arcobaleni che giacciono
infranti nei laghi –

Sali per la morena azzurra,
tra filari di guglie grigie:
porti sulle spalle
un bambino
addormentato.

18 febbraio 1935

Voli

Pioggia pesante di uccelli
su l'albero nudo:
così leggermente vibrando
di foglie vive
si veste.

Ma scatta in un frullo
lo stormo,
l'azzurro Febbraio
con la sera
sta sui rami.

È gracile il mio corpo,
spoglio ai voli
dell'ombra.

19 febbraio 1935

Smarrimento

Novembre
non è tornato:
ma i passeri
a mezzo giorno gridano
sugli alberi bagnati
come fosse per venir sera.

Qualcuno si è scordato
di rialzare i pesi
dell'orologio:
l'uccellino dice cucù
due volte soltanto,
poi resta sulla porticina
a guardare
il pendolo che a piccole scosse
si ferma.

Adesso
non so più
le ore.

21 febbraio 1935

«Don Chisciotte»

I

Sulla città
silenzi improvvisi.

Varchi
con un sorriso indefinibile
i confini:
sai le spine di tutte le siepi.

E vai,
oltre i fiati caldi degli uomini,
il sonno dopo gli amori,
l'affanno e la prigionia.

Su la petraia che è azzurra
come le corolle del lino,
liberata
canti correndo:

ma chiudi gli occhi
se in fondo al cielo
le ali bianche dei mulini
si dilacerano
al vento.

21 febbraio 1935

II

Fioche
dalla terra brulla
ti giungono
grida atterrite:

mentre seguita
su l'ala immensa
a rotare
la tua crocefissione.

22 febbraio 1935

Infanzia

Il mare
alle finestre
cadeva.
Onde verdi infrante
tinnivano sui vetri.
Era antica
la casa.
A piedi scalzi
tu correvi gli scogli:
ti tuffavi
per rubare le vongole gettate
dai pescatori.
A mezzogiorno
dal balcone del palazzo
una campana chiamava a riva
la tua gioia assolata
di bambino.

3 marzo 1935

Pianure a maggio

In lucidi specchi
tra volti di nuvole bianche
si celano i grani
del riso.

Traspaiono strade
nel gracile bosco,
dai greti si porgono
al fiume.

Sugli alti viadotti
barcollano andando
lenti i carri
dell'erba recisa.

2 maggio 1935

La sorgente

Al tuo monte
che il vento esilia
dietro siepi di gemme chiuse
risali in sogno:
vinci a strappi il tuo peso tra le pietre.

E nasci
vena bianca nell'attimo d'azzurro,
nudo canto proteso
oltre le nubi
mute.

Ma cada un raggio – ed è risveglio:
in terra
muore a singulti la tua vita effimera.

Acqua di stagno
ti spaventa – ora – la voce
ridestata del vento,
lento ti beve
il sole
tra le canne sconvolte.

3 maggio 1935

La notte inquieta

Dissepolte foglie
nei viali c'inseguirono, stridendo.
Rami
dai cancelli protesero
le loro ombre oscillanti
sull'asfalto.

Muti a sbocchi di strade
immobili fanali guardano
luci
a scroscio fuggenti,
tra rotaia e ruota
una scintilla verde che scocca.

Le case vogliono
pause di sonno
a occhi chiusi nel tremante silenzio:

ma passi
ancora
nascono agli svolti,

l'alba come una foglia
dissepolta c'insegue.

4 maggio 1935

Creatura

Si faceva tua carne
il respiro
nel chiamarti a nome.

Per immense foreste camminammo:
i muschi
racchiudevano l'orma del tuo piede.

Foglie di quercia
ai capelli
furono piccole mani
alate di sole.

Ma a riva d'invernali fiumi
c'è sconosciuta
quest'alba:

la voce varca grigie onde
senz'echi,
gli aliti in nebbia rappresi e dissolti
ci consumano gli orli del tuo viso.

5 maggio 1935

Assenza

Il tuo volto cercai
dietro i cancelli.

Ma s'ancorava in golfo di silenzi
la casa,
s'afflosciavano le tende
tra i loggiati deserti,
morte vele.

Al largo,
a sbocchi d'irreali monti
fuggiva il lago,
onde verdi e grigie
su scale ritraendosi
di pietra.

Lenta vagò,
sotto l'assorto cielo,
la barca vasta e pallida:
vedemmo
in rosso cerchio crescere alla riva
le azalee, cespi muti.

Monate, 5 maggio 1935

Esclusi

Gioco di passi
a specchio dell'attesa
s'avvicenda negli occhi aperti e ciechi.

Lontano
ti relegano in penombra
le stanze mute ch'io non so,
mali – forse –
invisibili ti toccano.

A bordo della strada, coi ligustri
lenta divengo
un'inutile pianta:

non diamo ombre
nel giorno senza sole
a questi sassi intorno, volti spenti.

via Caradosso, 7 maggio 1935

Sgelo

Del bianco urlo fu colma
la valle.

Trafugò l'inverno
nelle segrete grotte il suo morto,
a rosse torcie,
a vive braccia umane protese.

Forse una chiesa di ghiacci azzurri
l'accolse,
d'eterno sonno illuso
s'adagiò nel pallore delle volte
il perduto.

Ma già dai valichi nasce il volo
primaverile sulla neve,
alle profonde soglie il torrente
gonfio preme
coi soffi della terra.

Cupo ascolta l'inverno
nella tomba
crescere echi di lontani crolli:

il fumo delle torcie sfiorerà
tra breve
gli occhi sepolti.

10 maggio 1935

Fuga

Gracili volti porgono i narcisi
alla ventata.

Mani di bimbi:
e siepi
improvvise s'aggrappano ai cancelli.

Il respiro si strugge
alla mia corsa:

sguardi
alle cose gettati
– vani ponti –
mi divora l'abisso fragoroso.

10 maggio 1935

Altura

La glicine sfiorì
lentamente
su noi.

E l'ultimo battello
attraversava il lago in fondo ai monti.

Petali viola
mi raccoglievi in grembo
a sera:
quando batté il cancello
e fu oscura
la via al ritorno.

11 maggio 1935

La rampa

Vidi un'altissima luna
per dune di nebbia versarsi
in limpidi laghi
d'aria.

E il tuo sorriso mi cadeva in volto,
dall'alto,
da fresche fontane
dentro urne di pietra
grondanti:

mentre ai ginocchi ci serrava l'alito
giovane
dei sambuchi

e profondavano nell'ombra
lunghe scale
di terra.

14 maggio 1935

Radio

Usignolo in altissime fronde
dietro l'occhio rossastro
cantò:
da buie grotte d'aria
aggrumandosi gli echi,
note
nel cavo della stanza
stillarono.

Uno scalpiccìo folto ci parlò
d'invisibili lumi,
della vita
che s'annoda a singulti di sassofono,
poi gli occhi apre
ridesta
fra due battiti di palme.

E di nuovo cantò
l'usignolo
in altissime fronde, dal Maggio
di paesi esiliati:
evasa un'onda
di voci
dagli oceani della sera
irruppe a questo scoglio di silenzio.

15 maggio 1935

Ora intatta

Al carcere di pioggia apre i battenti
questa mia fronte grigia
e s'affaccia al colore della terra:
nasce un gorgo di vento celeste.

Ombre di uccelli vedo
sui tegoli svariare,
fuggendo.

Nuovo,
come voce di donna mattutina
in paese di mare ov'io sia giunta – a notte –
m'è questo disco di vecchia canzone:
che una danza ricanta
ed alla soglia
– singhiozzando tra risa – mi conduce
l'ora intatta, col passo
di bimba scalza.

17 maggio 1935

Intemperie

In rete d'acque
m'è rinato
il convento dell'infanzia.

Dove sei,
bianca scala?
                    Ti scendevo
tra le robinie
e non aveva fosse
la terra.

Ora in lontani viali
un compagno barcolla,
trasportando un morto:
gli cadono sul viso
le palpebre come spente viole.

Dove sei
scala bianca?
                    M'è sfuggito
un grido: manca il suolo.

Vampe d'incenso
per la via
non danno più riparo
a questa pioggia.

23 maggio 1935

Tempo

I

Mentre tu dormi
le stagioni passano
sulla montagna.

La neve in alto
struggendosi dà vita
al vento:
dietro la casa il prato parla,
la luce
beve orme di pioggia sui sentieri.

Mentre tu dormi
anni di sole passano
fra le cime dei làrici
e le nubi.

28 maggio 1935

II

Io posso cogliere i mughetti
mentre tu dormi
perché so dove crescono.
E la mia vera casa
con le sue porte e le sue pietre

sia lontana,
né io più la ritrovi,
ma vada errando
pei boschi
eternamente –
mentre tu dormi
ed i mughetti crescono
senza tregua.

28 maggio 1935

Convegno

Nell'aria della stanza
non te
guardo
ma già il ricordo del tuo viso
come mi nascerà
nel vuoto
ed i tuoi occhi
come si fermarono
ora – in lontani istanti –
sul mio volto.

29 maggio 1935

Ora sospesa

Le case dove ogni gesto
dice un'attesa
che non si compie mai.

Il fuoco acceso nel camino
per sciogliere la nube del respiro
e in ogni cuore l'alba
di domani – col sole.

Tu – verso sera – farfalla
con le ali chiuse
tra due steli paventi
la pioggia.

30 maggio 1935

Dopo

Quando la tua voce
avrà lasciato la mia casa

ritorneranno di là dal muro
parole rauche di vecchi
a nominare nell'oscurità
invisibili monti.

Udirò greggi
traversare la notte:

il vento – curvo
sul letto dei torrenti –
scaverà
incolmabili valli nel silenzio.

2 giugno 1935

Brezza

Mi ritrovo
nell'aria che si leva
puntuale al meriggio
e volge foglie e rami
alla montagna.

Potessero così
sollevarsi
i miei pensieri un poco ogni giorno:
non credessi mai
spenti gli aneliti
nel mio cuore.

8 giugno 1935

Grillo

(Ohimé ch'io son tradita...)

Appaio e rompo
un canto di bambina
al ruscello.

Farfalle bianche
danzando
traversano il silenzio sull'acqua.

Ma dietro me rinasce
(... tradita nell'amor!):

grillo che si rintana
udendo passi
tra l'erba

e tosto al sole
risbuca, versa in trillo
il fugace
sgomento.

25 giugno 1935

Precoce autunno

La nebbia è d'argento, cancella
le ombre dei pini:
sono più grandi i giardini
nell'alba.

Al pioppo una foglia è ingiallita,
un ramo è morto al castano
sul monte.

Spaventi che non sanno se stessi
dormendo nell'aria celeste:
questa fine che torna ogni anno,
che è nuova ogni anno.

Come l'ultimo albero del bosco,
l'ultimo uomo ha contato le morti:
pur la sua morte lo coglie
ancora stupito.

18 agosto 1935

La vita

Alle soglie d'autunno
in un tramonto
muto

scopri l'onda del tempo
e la tua resa
segreta

come di ramo in ramo
leggero
un cadere d'uccelli
cui le ali non reggono più.

18 agosto 1935

Leggenda

Mi portò il mio cavallo
tra le foglie
con soffice volo.

Calda vita nel vento
il suo respiro,
i molli occhi
fra colori d'autunno:
era oro nel sole il suo mantello.

Le pietre si scostavano
sui monti
al tocco degli zoccoli d'argento...

20 agosto 1935

Sul ciglio

Erbe intrise di guazza,
un fioco sole
tra nebbie, su dorsi di agnelli.

E a fianco il baratro:

spaventosa roccia,
a grembi di ghiaia sprofonda
livida.

Nascono le nuvole a mezza rupe
lente annodandosi,
mentre assorto traspare

il volto della terra nel vuoto.

Grigna, 22 agosto 1935

Ottobre

È crollo di morta stagione
quest'acqua notturna sui ciotoli.

Lànguono
fuochi di carbonai sulla montagna
e gela
nella fontana un fioco lume.

L'alba vedrà
l'ultima mandria divallare
coi cani, coi cavalli,
in poca polvere
dietro un dosso scomporsi.

Pasturo, 30 settembre 1935

Le donne

In urlo di sirene
una squadriglia
fiammante spezza il cielo.

Rotte tra case affondano
le campane.

S'affacciano le donne
a tricolori abbracciate;
gridan coraggio
nel vento
i loro biondi capelli.

Poi,
occhi si chinano spenti.

Nella sera
guardan laggiù il primo morto
disteso sotto le stelle.

3 ottobre 1935

Sgelo

Ora la vuota strada
ci sospende
ai suoi lumi:

per aeree tombe portati,

mentre fuggono
acque lontane in basso
le parole.

E già domani
ad uno sbocco giungeremo:
sgelo
cáuto senza schianti,
la neve.

Lenta scendendo
ritroverò il tepore del mio volto:

quando
il suolo lieve mi fiorirà
la grazia
delle tue labbra.

18 dicembre 1935

Notturno

Lene splendore
di stelle
in vetta alle bandiere:

il vento
piega l’erba sulla fronte dei morti.

Da sùbite fronde si leva
l’uccello nerazzurro:

e cade
il remeggio del volo
grevemente
sul notturno monotono cuore.

18 dicembre 1935

Incantesimi

Alti orli ghiacciati
si disfecero al mondo.

Solcava
lenta e lieve la barca
laghi d'oro,
andando così noi nel sole
abbracciati.

Gracili reti bionde
imprigionavano l'ora.

E nacquero brividi;
crebbero
voci tristi;
fischiò
a sponda il dilacerarsi delle canne.

Belve chiare
guardarono dal folto
a lungo
il tramonto nell'acqua,
andando così verso l'ombra
io libera
e sola per sempre.

22 dicembre 1935

Spazioso autunno

Or che i violini
hanno cessato di suonare

ed una foglia volteggiando
sfiora
il braccio bianco di Venere
in fondo al viale

andiamo per la brughiera
a veder nascere le stelle:

sono i visi delle ginestre morte.

Ora infuriano i cavalli nella stalla:
ma vagano lassù
con le nubi
le ombre delle lor lunghe criniere
rosse.

Inseguiamo fitte orme di zoccoli.

Ed è pieno di ali e di chiome
invisibili
quest'aperto campo notturno.

23 dicembre 1935

Salita

Questa tua mano sulla roccia
fiorisce:
non abbiamo paura del silenzio.

Immenso grembo
la valle spegne l'ansia
di lontane valanghe,
fumo lieve
sulle pareti nere.

Si accendon le tue dita sulla pietra
alte afferrando
orli di cielo bianco:
non abbiamo paura del deserto.

Andiamo verso il Sorapis:
così soli
verso l'aperto
altare di cristallo.

Misurina, 11 gennaio 1936

Approdo

Fruscìo sordo di legni
sovra il lago
sepolto:

ci scompare
alle spalle in un turbine di neve
la pista esile dritta.

Ora si leva
la voce di un attacco nel passo.

Stride ritmico:
e forse è freddo pianto di bivacchi,
grido di spaventevoli bufere;
o è lamento d'uccelli,
ansito roco
di volpi gracili vedute morire –

Non andiamo ai confini di una terra?
E quando in altre vesti
alle calde vetrate sosterò –
(la slitta
m'avrà rapita
nel giro dei suoi campanelli,
avrò alle spalle
lampade volti canti) –

la mia ombra
sarà sul lago,

pegno immoto di me
fuori – alla triste
favolosa sera.

Misurina, 12 gennaio 1936

Notte di festa

Sgrana gli occhi, soldato alpino,
stringi più forte la tua ragazza:
sono venute le signorine
a ballare nella tua osteria.

Che belle rose di carta gialla
alle pareti di legno d'abete.
Chi suona
con le trombette di carnevale?
Vino.
E frittelle unte.
Una stella filante verdolina
lega i tuoi chiodi
alle mie scarpe
d'argento.
Chi strilla
con le trombette di carnevale?

Oggi sotto al Cristallo
è caduta la valanga.

Non bestemmiare, soldato alpino:
batti gli occhi nell'aperta notte.

Le signorine ballano ancora.
Come sono strane
queste mie spalle nude:
chi cercava
le mascherette di cartapesta?
io canto
un sonnolento ritornello.

E già sui vetri illividisce e intesse
gelate fioriture l'alba:
segna
palpebre viola,
pallide labbra nella stanza spenta.
In alto
tu fra i mortali blocchi
erri solo:
scavano ferree le tue mani rosse.

Vuota sotto una croda
nella prima
aurora
la slitta attende
coi suoi rami verdi
in croce.

Misurina, 6 gennaio 1936

Commiato

Si levarono alate di tormenta
le crode
sul gran volo della slitta:

poi declinò
con l'ombra del cavallo
il sole rosso
su dorsi di abeti.
Allora
accordi tenui di chitarra,
cori sommessi infranti, oltre le creste
corsero col tramonto
sul deserto
tinnulo trotto.

A sera
l'ultima mano rosea –
una pietra –
alta accennava
salutando:
e pallida
nell'aria viola pregava le stelle.

Lentamente
i fiumi a notte
mi portavano via.

Misurina, 11 gennaio 1936

a Emilio Comici

Mille metri
di vuoto:
ed un pollice di pietra
per una delle tue
suole di corda.

Ti ha inchiodato il tramonto allo strapiombo.

A quest'ora la tua città
coi vetri in fiamme abbacina le barche.
Dove hai lasciato le tue vesti,
i volti
delle ragazze, i remi?

Questa notte al bivacco
nubi bianche
si frangeranno sulla pietra
mute:
così lontano il tonfo dei marosi
sul molo di Trieste.

Né la luna
disvelerà giardini, chiaro riso
di donne intorno ad un fanale,
o tepido
sciogliersi di capelli,

ma te solo
vedrà
alla tua fune

gelida avvolto –
ed il tuo duro cuore
tra le pallide guglie.

16 gennaio 1936

Rifugio

I

Mentre di fuori il sole sgela
pelli di foca
ai cardini dell'uscio

scostate queste tazze di vin caldo
e il pane sbriciolato,
fate posto:
ora voglio dormire.

Se ridi
e scuoti il ciuffo del mio berretto rosso
come a un bambino insonnolito,
io cado
in golfi oscuri e caldi
di sogno.

Ma perché
una canzone marinaresca
fra strapiombi neri?

II

Dimmi che non possiamo
andare oltre:
questa pista finisce alla forcella,

alta e intatta è la neve
sul versante
dell'ombra.

Qui crediamo
eterna luce sovra campi splendenti:
potrà mai
venir sera ai nostri vetri
d'argento?

III

Noi,
quando grigie fascie di tormenta
strapperanno da terra
il nostro rosso
nido di pietra,
guarderemo nudi –
come da un celeste
Walhalla –
i laghi spenti in fondo ai pini,
le fioche
lampade erranti dei pastori.

19 gennaio 1936

Periferia

Lampi di brace nella sera:
e stridono
due sigarette spente in una pozza.

Fra lame d'acqua buia
non ha echi
il tuo ridere rosso:
apre misteri
di primitiva umanità.

Fra poco
urlerà la sirena della fabbrica:
curvi profili in corsa
schiuderanno
laceri varchi nella nebbia.

Oscure
masse di travi: e il peso
del silenzio tra case non finite
grava con noi
sulla fanghiglia,
ai piedi
dell'ultimo fanale.

19 gennaio 1936

Portofino

Lontani dai mandorli vivi
hanno piccole tombe
infisse agli scogli
i bambini: a tonfi percossa
nel cavo cuore selvaggio,
d'alghe avvinta
la roccia, in anelli di vertigine.

Ma lenta disfà la penisola
i suoi nodi di terra,
spiega in vetta
vele d'oscure foreste:

all'infinita
altalena degli orizzonti
già china,

offrendo
i suoi lievi sepolcri
ai bracci di una gran croce lunare.

aprile 1936

Maggio desiderio di morte

Sul monte
un convento di foglie
salva il riso d'azzurri fiori.
E tu férmati pallido sole,
questa tempia
che affonda nel muschio
configgi alla terra,
da' al peso
eternità primaverile.

maggio 1936

Come albero d'ombra

Dalla cornice di monti e di nubi
esorbita il gesto serale.
E s'erige la notte
ombra mia immensa:
ai ginocchi il gridìo dei campanili,
a ignoti mari
protese le mie braccia nere.

26 settembre 1936

Verginità

Vele solari
col tuo piede scarno
tentavi dal pontile,
raccoglievi
chiare sillabe d'acqua
nella scia delle barche.

Poi un profilo d'alte pietre
franava in lago:

ridendo
offrivi alghe al mio nudo
corpo serale.

26 settembre 1936

Fine

Ritorno ed è ancora sul greto
orma di mare,
mentre l'onda si esilia.
E m'imbarca:
e saluto le rive e i colori,
sfumo nel dolce morente
tramonto,
con te mare,
ora vasta
della mia fine notturna.

8 ottobre 1936

In campagne di vento
urlano i cani
sul sonno delle mandrie all'addiaccio.
Or sulle mani
mi respiri tu
solitudine
lenta fatica d'amore.

(frammento)

8 ottobre 1936

Viaggio al nord

Primavera che ci dolevi
oltre il valico,
ora riaffonda
nostra ansia serale per la piana:
i nostri fiori
son fari rossi e verdi
alle folate di tormenta, l’albero
di nostra vita si biforca agli scambi.

Primavera che più non duoli,
t’uccide
tra lumi or sottilissima la neve
e il vin dolce ti smemora
terra perduta:
ma ai muri
corolle enormi di giunchiglie fingono
un mondo di miracoli
per gli insetti...

Ripudia
questo sangue il suo sole e le stagioni
infuriando
così sotterra, nella magica notte.

Berlino, febbraio-marzo 1937

Periferia in aprile

Intorno aiole
dove ragazzo t'affannavi al calcio:
ed or fra cocci
s'apron fiori terrosi al secco fiato
dei muri a primavera.
Ma nella voce e nello sguardo
hai acqua,
tu profonda frescura, radicata
oltre le zolle e le stagioni, in quella
che ancor resta alle cime
umida neve:
così correndo in ogni vena
e dici
ancora quella strada remotissima
ed il vento
leggero sopra enormi
baratri azzurri.

24 aprile 1937

Brughiera

I

Accoccolato tra le pervinche
sfuggi
la furia ansante dei cavalli
e l'urlo
dei cani al sole.

Tu sei come il ramarro verde e azzurro
che del proprio rumore si spaura
e hai cari
questi ciliegi appena in fiore, quasi
senz'ombra.

Tenui
profili di colline alle tue ciglia:
e all'orecchio
così curvo sull'erica riarsa
a quando a quando il rombo
dei puledri lanciati per la piana.

II

Con le farfalle raso terra
esitavi
al fiorire della ginestra:
e ad un tratto

enormi ali ti dà
quest'ombra trasvolante in rombo.

Ora ridi,
acciaio splendido,
all'ombroso
imbizzarrirsi dei cavalli, al pavido
balzare delle lepri fra i narcisi.

III

Indugiano
carezze non date
fra le dita dei peschi
e gli sguardi
d'amore che mai non avemmo
s'appendono alle glicini sui ponti –

Ma il fiume
è densa furia d'acque senza creste, nel grembo
porta profondi visi di montagne:
e all'immenso
svolto dei boschi trova lieve il vento,
tocca le fresche nuvole
d'aprile.

28 aprile 1937

Sete

Or vuoi ch'io ti racconti
una storia di pesci
mentre il lago s'annebbia?
Ma non vedi
come batte la sete nella gola
delle lucertole sul fogliame trito?
A terra
i ricci morti d'autunno
hanno trafitto le pervinche.
E mordi
gli steli arsi: ti sanguina
già lievemente l'angolo del labbro.
Ed or vuoi
ch'io ti racconti una storia d'uccelli?
Ma all'afa
del mezzogiorno il cuculo feroce
svolazza solo.
Ed ancora
urla tra i rovi il cucciolo perduto:
forse il baio in corsa
con lo zoccolo nero lo colpì
sul muso.

28 aprile 1937

Treni

A notte
un lento giro d'ombre rosse
alle pareti avviava i treni: tonfi
cupi d'agganci
al sonno si frangevano.

E lavava
lieve la corsa della pioggia il fumo
denso ai cristalli: sogni
s'aprivano continui, balenanti
binari lungo un fiume.

Ora ritorna
a volte a mezzo il sonno quel tuonare
assurdo
e per le mute vie serali, ai lenti
legni dei carri e dentro il sangue
chiama
lunghi fragori – e quell'antico ardente
spavento e sogno
di convogli.

Torino, 1° maggio 1937

L'ava

T'abbraccio per sentire la tua carne
pregna di pace e vicina a morire –
fresca e tetra così
presso il mio fiato.
Di là dalle parole: ed ascoltiamo
al polso uguali battiti – ed un solo
ultimo abbeverarsi della vita.
A riva di neri laghi
torna a prender luce
quest'occhio da te sola fatto azzurro;
così premendomi al tuo grembo
e chiusa nel tuo alvo
profondo, una divengo
al tuo peso mortale che vanisce:
tanto che non ci stacchi più la terra –
ma ad entrambe si faccia buia e lieve.

1° maggio 1937

Fine di una domenica

Rotta da un fischio
all'ultimo tumulto
s'è scomposta la mischia: sulle lacere
maglie e sui volti in furia – vedo
il cielo dello stadio bianco, quasi
soffice lana.

Calmi greggi dormono
a fronte d'alte case,
in rozze strade
dilaganti per l'erba: e non ha un senso
quest'avviarsi di treni verso incerte
pianure...

Ormai il fiume
è un lago fermo tra muraglie, in fondo
ad un bosco serale: lenti viali
in cerchio ci trascinano – ove imbarca
coppie d'amanti la corrente...

E a noi
forse sovviene di un istante, quando
qualchecosa si perse
ad un crocicchio:
che non sappiamo.
Sì che vuote
ora – e disgiunte
senza amore ci pendono le mani.

Torino, 2 maggio 1937

Sonno e risveglio sulla terra

A mezzogiorno si sfiancò il galoppo
dei puledri sui prati.
Tu guardavi
inalberarsi ai làrici i cavalli
sauri del sole:
così prona tra ciuffi di ginestra –
e in lunghi istanti
poi sparivi alla terra.

Fondo nodo
di una radice: e fu muta magìa
quando cani lentissimi ti sorsero
a fronte nel crepuscolo –
grandi e giovani, bianchi e neri –
e apristi lene fiamma
d'umiltà
nei loro occhi
castani.

Ora si torce
acre tra i rovi la tua voglia gracile
della vita: e sei giglio
improvviso sul bordo di una forra
quando fresca nel vento
ti solleva
la tua rossa brughiera.

11 maggio 1937

Amor fati

Quando dal mio buio traboccherai
di schianto
in una cascata
di sangue –
navigherò con una rossa vela
per orridi silenzi
ai cratèri
della luce promessa.

13 maggio 1937

Bambino morente

In una notte hai vissuto
gli anni di tutta la vita:
e l'alba lenta te ne incorona
come di spine. Guardi
con savi occhi le ombre
intorno brancolanti, incompiute:
e sai la pena del grano riverso fra i tuoni
e i vuoti nelle mandrie insidiate.
In mille sere
ravviasti lunghe trecce grige, ti oppresse
l'umidore dei giorni sfioriti;
ora s'apre
in un filo di sole la tua fronte, si spiana
nello sguardo di un uomo perfetto:
e compiangi tua madre.

10 giugno 1937

Messaggio

E tu, stella acuta notturna
splendi ancora
se per il solco delle strade
grida la triste anima dei cani.

Sorgeranno colline d'erba magra
a coprirti:
ma nel mio buio conquistato
brillerai, fuoco bianco,
parlando ai vivi della mia morte.

21-22 giugno 1937

Notte

Aggiorna sulla luna
e a noi suade il sonno
questa faccia distolta dal sole, la campagna
profondata negli oceani.
Per un varco di nubi ancor balena
in poche stelle la vita lasciata:
mentre sugli occhi piombano le ciglia
e suda fresco umore
sulla bocca dei cani muti.

giugno 1937 ?

I morti

Siedon sul grembo dei prati
a un crocicchio di strade:
odon fruscìo di ruote per la china,
bimbi e cavalli saltare le siepi.

Sentono il tuono venire,
gli scrosci sul nudo fieno
(quando gli uomini per salvarlo
escono dalle case
coi corpi protesi alla terra).

Ogni sera,
prima che il campanile verde sbocci in suono,
si domandan se la cresta del monte
non disegni un bambino riverso
dormente su loro.

Poi, quando nel cavo degli occhi
corolle sperse di campane
scendono a bere,
lenti essi volgono il volto
ai cancelli:
se d'autunno un pastore s'attardi
senza timore a rompere il suo pane
e il gregge chiaro si prema alle sbarre.

Allora ridono i morti
piano fra loro:
sognano lieve e più calda la notte.

Pasturo, 8 settembre 1937

Le montagne

Occupano come immense donne
la sera:
sul petto raccolte le mani di pietra
fissan sbocchi di strade, tacendo
l'infinita speranza di un ritorno.

Mute in grembo maturano figli
all'assente. (Lo chiamaron vele
laggiù – o battaglie. Indi azzurra e rossa
parve loro la terra). Ora a un franare
di passi sulle ghiaie
grandi trasalgon nelle spalle. Il cielo
batte in un sussulto le sue ciglia bianche.

Madri. E s'erigon nella fronte, scostano
dai vasti occhi i rami delle stelle:
se all'orlo estremo dell'attesa
nasca un'aurora

e al brullo ventre fiorisca rosai.

Pasturo, 9 settembre 1937

Sera a settembre

Aria di neve ai monti
ora colmi il villaggio di campani,
porte spalanchi al magro
ultimo fieno:

quando ai carri s'aggrappano bambini
e affioran rade, calde per la valle
trasparenze di case illuminate.

Dall'ombra – allora – a me salgono nenie
di zingari accampati sulle strade…

Pasturo, 13 settembre 1937

Voce di donna

Io nacqui sposa di te soldato.
So che a marce e a guerre
lunghe stagioni ti divelgon da me.

Curva sul focolare aduno bragi,
sopra il tuo letto ho disteso un vessillo –
ma se ti penso all'addiaccio
piove sul mio corpo autunnale
come su un bosco tagliato.

Quando balena il cielo di settembre
e pare un'arma gigantesca sui monti,
salvie rosse mi sbocciano sul cuore;
Che tu mi chiami,
che tu mi usi
con la fiducia che dai alle cose,
come acqua che versi sulle mani
o lana che ti avvolgi intorno al petto.

Sono la scarna siepe del tuo orto
che sta muta a fiorire
sotto convogli di zingare stelle.

18 settembre 1937

Morte di una stagione

Piovve tutta la notte
sulle memorie dell'estate.

A buio uscimmo
entro un tuonare lugubre di pietre,
fermi sull'argine reggemmo lanterne
a esplorare il pericolo dei ponti.

All'alba pallidi vedemmo le rondini
sui fili fradice immote
spiare cenni arcani di partenza –

e le specchiavano sulla terra
le fontane dai volti disfatti.

Pasturo, 20 settembre 1937

La terra

Stella morta, ai tuoi orli
nubi di sogno e corolle di parole
volgi nei cieli.

Vedo per fondi mari
pescatori notturni metter barche
e sulle chiglie tracciare ghirlande
di gialle margherite,

vedo in fronte ai ghiacci
volti di santi spalancarsi all'alba
sui muri delle stalle:

e a mezzodì s'avanza il vecchio gobbo,
canta sui ciotoli e per le donne accorse
fra i trilli del suo timpano d'argento:
«È fiorito il bambù, dopo cent'anni.
In riva a tutti i mari e ne morrà.
Coll'autunno si secca la foglia,
a oriente scorron fossati di sangue,
vidi le braccia di migliaia d'uccisi
penzolar sull'abisso
ad occidente.»

Nubi di pianto e corolle di deliri
si torcono ai tuoi orli
o Terra.

1° novembre 1937

Nebbia

Se c'incontrassimo questa sera
pel viale oppresso di nebbia
si asciugherebbero le pozzanghere
intorno al nostro scoglio caldo di terra:
e la mia guancia sopra le tue vesti
sarebbe dolce salvezza della vita.
Ma fronti lisce di fanciulle
a me rimproverano gli anni: un albero
solo ho compagno nella tenebra piovosa
e lumi lenti di carri mi fanno temere,
temere e chiamare la morte.

27 novembre 1937

Capodanno

Se le parole sapessero di neve
stasera, che canti –
e le stelle
che non potrò mai dire...

Volti immoti s'intrecciano fra i rami
nel mio turchino nero:
osano ancora,
morti ai lumi di case lontane,
l'indistrutto sorriso dei miei anni.

Madonna di Campiglio,
31 dicembre 1937-1° gennaio 1938

Certezza

Tu sei l'erba e la terra, il senso
quando uno cammina a piedi scalzi
per un campo arato.
Per te annodavo il mio grembiule rosso
e ora piego a questa fontana
muta immersa in un grembo di monti:
so che a un tratto
– il mezzogiorno sciamerà coi gridi
dei suoi fringuelli –
sgorgherà il tuo volto
nello specchio sereno, accanto al mio.

9 gennaio 1938

Periferia

Sento l'antico spasimo
– è la terra
che sotto coperte di gelo
solleva le sue braccia nere –
e ho paura
dei tuoi passi fangosi, cara vita,
che mi cammini a fianco, mi conduci
vicino a vecchi dai lunghi mantelli,
a ragazzi
veloci in groppa a opache biciclette,
a donne,
che nello scialle si premono i seni –

E già sentiamo
a bordo di betulle spaesate
il fumo dei comignoli morire
roseo sui pantani.

Nel tramonto le fabbriche incendiate
ululano per il cupo avvio dei treni...

Ma pezzo muto di carne io ti seguo
e ho paura –
pezzo di carne che la primavera
percorre con ridenti dolori.

21 gennaio 1938

Luci libere

È un sole bianco che intenerisce
sui monumenti le donne di bronzo.

Vorresti sparire alle case, destarti
ove trascinano lenti carri
sbarre di ferro verso la campagna –

ché là pei fossi infuriano bambini
nell'acqua, all'aurora
e vi crollano immagini di pioppi.

Noi, per seguir la danza
di un vecchio organo
correremmo nel vento gli stradali...

A cuore scalzo
e con laceri pesi
di gioia.

27 gennaio 1938

Pan

Mi danzava una macchia di sole
tepida sulla fronte,
c'era ancora un frusciare di vento
tra foglie lontanissime.

Poi venne
solo: la schiuma di queste onde di sangue
e un martellio di campane nel buio,
giù nel buio per vortici intensi,
per rossi colpi di silenzio – allo schianto.

Dopo
riallacciavano le formiche
nere fila di vita tra l'erba
vicino ai capelli
e sul mio – sul tuo volto sudato
una farfalla batteva le ali.

27 febbraio 1938

Via dei Cinquecento

Pesano fra noi due
troppe parole non dette

e la fame non appagata,
gli urli dei bimbi non placati,
il petto delle mamme tisiche
e l'odore –
odor di cenci, d'escrementi, di morti –
serpeggiante per tetri corridoi

sono una siepe che geme nel vento
fra me e te.

Ma fuori,
due grandi lumi fermi sotto stelle nebbiose
dicono larghi sbocchi
ed acqua
che va alla campagna;

e ogni lama di luce, ogni chiesa
nera sul cielo, ogni passo
di povere scarpe sfasciate

porta per strade d'aria
religiosamente
me a te.

27 febbraio 1938

Mattino

In riva al lago azzurro della vita
son corpi le nuvole bianche
dei figli carnosi del sole:

già l'ombra è alle spalle, catena
di monti sommersi.

E a noi petali freschi di rosa
infioran la mensa e son boschi
interi e verdi di castani smossi
nel vento delle chiome:

odi giunger gli uccelli?

Essi non hanno paura
dei nostri volti e delle nostre vesti
perché come polpa di frutto
siamo nati dall'umida terra.

Pasturo, 10 luglio 1938

Per Emilio Comici

Si spalancano laghi di stupore
a sera nei tuoi occhi
fra lumi e suoni:

s'aprono lenti fiori di follia
sull'acqua dell'anima, a specchio
della gran cima coronata di nuvole...

Il tuo sangue che sogna le pietre
è nella stanza
un favoloso silenzio.

Misurina, 7 agosto 1938

Servire

Teresa o Catina
portano nei cortili
aspri canti di fieno.

Poi nel buio
mani rosse aggrappate al davanzale
spargono in un sussurro
i peccati
della domenica.

(non datata)

Abbandonati in braccio al buio
monti
m'insegnate l'attesa:
all'alba – chiese
diverranno i miei boschi.
Arderò – cero sui fiori d'autunno
tramortita nel sole.

LA VITA SOGNATA

Le poesie di questa sezione sono tutte del 1933, anno che scavò un solco indelebile nello spirito e nella vita di Antonia Pozzi, per la «rinuncia» definitiva, dopo l'interruzione impostale dal padre nel 1932, al sogno d'amore con Antonio Maria Cervi.

La rinuncia fu vissuta da entrambi con l'anima straziata, ma al tempo stesso quasi pacificata dalla certezza che il loro amore non era morto, ma si sarebbe perpetuato in una fedeltà che né il tempo né lo spazio avrebbero mai potuto distruggere.

Molte poesie del '33 si riferiscono a questa esperienza d'amore; queste, però, furono scelte da Antonia Pozzi, che ne scrisse l'elenco per ben due volte nei Quaderni con il titolo *La vita sognata*. Nell'elenco le liriche sono disposte secondo un ordine tematico, e non cronologico, estremamente significativo: la prima, infatti, è come la sintesi della parabola del sogno d'amore, dal suo sorgere al suo infrangersi; le altre, mentre rievocano, illuminano i momenti più intimi, più goduti o più sofferti, in un continuo alternarsi di gioia-dolore, speranza-sconforto, desiderio-rinuncia, pace-angoscia, vita-morte e, ancora, vita; infatti, nonostante il ricorrere frequente della parola «morte» l'ultimo pensiero di A. Pozzi è sempre rivolto alla vita: «bagni il tuo crescere / senza essere scorto» (*Voto*).

Tutte le liriche di questa sezione si trovano, oltre che in Q, in più F, di cui nove compongono una sorta di antologia, che le raccoglie, a eccezione de *Il bimbo nel viale*, in un foglietto-copertina che reca scritto: *La vita sognata* e la data, 25 ottobre 1933. È significativo il fatto che nessuna poesia di questa «antologia» sia datata. Antonia Pozzi aveva scelto, infatti, una data simbolica: la ricorrenza della morte di Annunzio, il fratello di Antonio Maria Cervi, che avrebbe voluto far rivivere, dando il suo nome alla loro prima creatura (cfr. *Saresti stato* e relativa nota).

Tuttavia, se *La vita sognata* è la parabola di una vicenda d'amore sofferta fino allo spasimo, essa non la esaurisce. E non potrebbe essere altrimenti, poiché era proprio dello spirito di Antonia Pozzi amare tutti e tutto, al di là del bene o del male che ne poteva ricevere. Sicché tutta la sua poesia è un canto d'amore e all'amore; e il canto non è sempre espressione di gioia; anzi, spesso, molto spesso, è la voce lirica, spogliata di ogni orpello, del più puro, profondo dolore; perché «la Poesia ha questo compito sublime: di prendere tutto il dolore che ci spumeggia e ci romba nell'anima e di placarlo, di trasfigurarlo nella suprema calma dell'arte, così come sfociano i fiumi nella vastità celeste del mare» (cfr. Antonia Pozzi Lettera a T. Gadenz, 11 gennaio 1933, *Lettere*, cit.).

La vita sognata

Chi mi parla non sa
che io ho vissuto un'altra vita –
come chi dica
una fiaba
o una parabola santa.

Perché tu eri
la purità mia,
tu cui un'onda bianca
di tristezza cadeva sul volto
se ti chiamavo con labbra impure,
tu cui lacrime dolci
correvano nel profondo degli occhi
se guardavamo in alto –
e così ti parevo più bella.

O velo
tu – della mia giovinezza,
mia veste chiara,
verità svanita –
o nodo
lucente – di tutta una vita
che fu sognata – forse –

oh, per averti sognata,
mia vita cara,
benedico i giorni che restano –
il ramo morto di tutti i giorni che restano,
che servono
per piangere te.

25 settembre 1933

L'allodola

Dopo il bacio – dall'ombra degli olmi
sulla strada uscivamo
per ritornare:
sorridevamo al domani
come bimbi tranquilli.
Le nostre mani
congiunte
componevano una tenace
conchiglia
che custodiva
la pace.
Ed io ero piana
quasi tu fossi un santo
che placa la vana
tempesta
e cammina sul lago.
Io ero un immenso
cielo d'estate
all'alba
su sconfinate
distese di grano.
Ed il mio cuore
una trillante allodola
che misurava
la serenità.

25 agosto 1933

La gioia

Domandavo a occhi chiusi
– che cosa
sarà domani la Pupa? –

Così ti facevo ridire
in un sorriso le dolci parole
– la sposa,
la mamma –

Fiaba
del tempo d'amore –
profondo sorso – vita
compiuta –
gioia ferma nel cuore
come un coltello nel pane.

26 settembre 1933

Ricongiungimento

Se io capissi
quel che vuole dire
– non vederti più –
credo che la mia vita
qui – finirebbe.

Ma per me la terra
è soltanto la zolla che calpesto
e l'altra
che calpesti tu:
il resto
è aria
in cui – zattere sciolte – navighiamo
a incontrarci.

Nel cielo limpido infatti
sorgono a volte piccole nubi
fili di lana
o piume – distanti –
e chi guarda di lì a pochi istanti
vede una nuvola sola
che si allontana.

17 settembre 1933

Inizio della morte

Quando ti diedi
le mie immagini di bimba
mi fosti grato: dicevi che era
come se io volessi
ricominciare la vita
per donartela intera.

Ora nessuno più
trae dall'ombra
la piccola lieve
persona che fu
in una breve
alba – la Pupa bambina:

ora nessuno si china
alla sponda
della mia culla obliata –

Anima –
e tu sei entrata
sulla strada del morire.

28 agosto 1933

Saresti stato

Annunzio
saresti stato
di quel che non fummo,
di quello che fummo
e che non siamo più.

In te sarebbero
ritornati i morti
e vissuti i non nati,
sgorgate le acque
sepolte.

La poesia,
da noi amata e non sciolta
dal cuore mai,
tu l'avresti cantata
con gridi di fanciullo.

L'unica spiga
di due zolle confuse
eri tu –
lo stelo
della nostra innocenza
sotto il sole.

Ma sei rimasto laggiù,
con i morti,
con i non nati,
con le acque
sepolte –
alba già spenta al lume
delle ultime stelle:

non occupa ora terra
ma solo
cuore
la tua invisibile
bara.

22 ottobre 1933

Maternità

Pensavo di tenerlo in me, prima
che nascesse,
guardando il cielo, le erbe, i voli
delle cose leggere,
il sole –
perché tutto il sole
scendesse in lui.

Pensavo di tenerlo in me, cercando
d'essere buona –
buona –
perché ogni bontà
fatta sorriso
crescesse in lui.

Pensavo di tenerlo in me, parlando
spesso con Dio –
perché Dio lo guardasse
e noi fossimo
redenti in lui.

24 ottobre 1933

Il bimbo nel viale

Da quando io dissi – Il bimbo
avrà il nome del tuo fratello morto –

– era una sera d'ottobre, buia,
sotto grandi alberi, senza
vederci in viso –

egli fu vivo. E quando
nel viale sostavamo – ai nostri piedi
quieto giocava
con la ghiaia e gli insetti e le lievi
foglie cadute.

Per questo – lenti
erano i nostri passi e dolci –
così dolci – gli occhi
quando sul ciglio erboso
scorgevamo una margheritina
e sapevamo che un bimbo – sporgendo
appena il suo piccolo braccio –
può coglierla e non calpesta il prato.

25 ottobre 1933

Gli occhi del sogno

Tu mi dicevi: – Voglio
che il bambino abbia gli occhi come i tuoi –
Io mi toccavo le palpebre,
fissavo il cielo
per sentirmi lo sguardo
diventare più azzurro.
Tu mi dicevi: – Voglio
per questo
che tu non pianga –

Oh, per rispetto
di quello che fu tuo,
per amore
di quello che hai amato:
vedi, non piango –
vedi, i miei occhi – ancora
puri ed azzurri –
portano il raggio del sogno,
parlano ancora
di lui – con il cielo.

12 ottobre 1933

Voto

Ed è tanta la pace
ch'io dico:
– oh, possa tu incontrare la donna
che ti ridìa
la creatura che abbiamo sognata
e che è morta –
dico:
– si faccia solco
almeno per te
la fossa
e si confonda con la pioggia del cielo
il mio pianto:
bagni il tuo crescere
senza essere scorto –

8 settembre 1933

INEDITI

Mascherata di peschi

Stanotte i peschi
si son passati la parola
per mascherarsi capricciosamente
e stamattina son sbucati da ogni muro,
pavoneggiandosi,
come bimbette che in un giorno di festa
si fossero annodate le treccioline striminzite
con dei bei nastri rosa, sfarfallanti.

Sorrento, 2 aprile 1929

Cencio

C’era uno straccetto celestino
sopra il muro
tutto sgualcito di ditate rosa
tenuto su da due borchie di stelle
ed io lì sotto
come un cencio cinerino
in cui la gente incespica
ma che non val la pena di raccogliere
– lo si stiracchia un po’ di qua e di là coi piedi
e poi
a calci
lo si butta via –

Milano, 8 aprile 1929

Primizie di stagione

L'asfalto del marciapiede
mi strizza innumeri occhiatine lucenti
e gli spruzzi di verde
sulle piante madide
sembrano gialli come scorzetta di limone,
nel grigio arioso.

Nelle botteghe degli erbivendoli,
i rapanelli,
riuniti a squadre come soldatini,
tentano di rompere le righe,
si pigiano sull'orlo delle ceste
per veder di sberliccare qualche goccia
con quel baffetto impertinente
che sprizza su dalla testina rossa;
e certi mazzetti, soli negli angoli,
mi sembrano nidiate di cardellini,
col beccuccio proteso,
zitti in attesa dell'imbeccata.

Vorrei essere anch'io un rapanello;
di quelli che sono ancora nell'ortaglia,
a crogiolarsi nella terra,
a tracannar la pioggia saporita di umori
e non sanno
che presto verrà qualcuno
ad afferrarli per il pennacchio verde;
li strapperà dal nido bruno,
li metterà nel canestro terroso, e poi, a casa,

se li sgranocchierà,
crudi, col sale.
Vorrei essere anch'io un rapanello.

Milano, 12 aprile 1929

Cadenza esasperata

Rabbiosa e scema esasperazione
delle mie unghie rosicchiate
e queste parole dannate
che graffiano la carta con furiosa ostinazione

invece del compito che lunedì dovrei portare
rimaner qui a farneticare
a dondolarmi sull'altalena del passato
idiotamente con torpore assonnato

stimolati certi sobbalzi di inquietudine stizzosa
da ogni ora che scocca
ed una voglia sciocca
di affrettarmi in melensaggine lacrimosa

l'incubo della lezione che avrò fra un quarto d'ora
l'oppressione di questo giorno snocciolato ansiosamente
la visione di me stessa che mi percuote desolatamente –
una bambina che bamboleggerà sempre – come ha fatto finora –

Milano, 13 aprile 1929

Presentimenti di azzurro

Stamattina
sono rimasta tanto alla finestra
a riguardare il cielo:
non c'era nessun velo
di nebbia, ma una decisa tela grigiolina.
Le nuvole parevan ritagliate
ed ingommate
l'une sull'altre, strette;
carnose, a sfumature nette.
E mi sembrava
che a saettar là dentro a capofitto
con un bel volo dritto
non mi sarei dovuta sperdere
per strade sinuose
in nebulosità fumose,
ma che sarei dovuta riuscire
dall'altra parte, immediatamente,
in un azzurro fresco, veemente.
E poi me ne sarei tornata
con calma strascicata
palpeggiandomi guardinga e gelosa
l'anima rugiadosa.

Milano, 13 aprile 1929

Muffe sotto vetro

A Napoli, su a S. Martino
– Museo Nazionale del Risorgimento
insaccato in un vecchio convento –
arrivi in uno stanzone appartato,
dove un omino
– il guardiano sembra sempre piccino
e poi si allunga e mette la pancia
quando gli dài la mancia –
ti mostra un carrozzone dorato
soffocato
da cordoni velluti e ornamenti
come un capo di Furia schiacciato
sotto le virgole dei serpenti.
L'omino
ti fa salire sopra un predellino
e tu credi che ci sia soltanto
da veder meglio i paramenti interni,
valutare la stoffa polverosa,
far paragoni coi veicoli moderni.
Ma quello, intanto,
aspetta che le chiacchere scipite
siano finite
e quando ti vede ormai in posa
per ridiscendere
ti fa sospendere
con grave gesto i tuoi gesti spavaldi,
poi, con lentezza solluccherosa
ti scande: «Badi, le pieghe sul cuscino...
– il vocione si fa d'un tratto vocino –
...sono ancora le pieghe di Garibaldi».

Anche nel Museo del mio Risorgimento
insaccato in questo vecchio convento
di romanticherie sciroppose
ci sono troppe cose
sdolcinate –
sentimentalità insidiose,
adorazioni insensate, –
che m'impiastricciano il cammino,
che fanno sdrucciolare
i miei passi già tanto poco saldi
e che mi fan pensare
proprio alle pieghe di Garibaldi,
imbalsamate su quel cuscino
con estatica idolatria
dall'umana idiozia.

Milano, 16 aprile 1929

La stazioncina di Torre Annunziata

ad A.M.C.

C'era un disordinato andirivieni
di valige sfrangiate, penzoloni
su ghette e scarpe gialle da provincia,
che schizzavano dentro l'atrio grigio
dagli sbadigli bianchi delle porte
aperte sulla piazza e sui binari.
Gli sportelli sbarravano sul muro
uno stupore lucido, verdone;
un ombrello, testardo, s'impuntava
contro terra in un suo capriccio nero.
Né tu né io ci guardavamo in viso:
ma i miei occhi sentivan d'incontrarti.
Dove, non so. Forse in quel po' di cielo
che si vedeva sopra la tettoia
o in mezzo alle fumate carnicine
che il Vesuvio sbuffava senza posa
e il vento senza posa smozzicava.
Io mi sentivo libera e leggera
come quei fiocchi bianchi di pelurie
che si sprigionano dai pioppi, in maggio,
e cercan l'alto come delle preci.
La tua voce era un mare di purezza:
ogni ombra di materia vi affogava.
A tratti le parole si frangevano
in sfumature lunghe di silenzio
e all'anima sembrava di vibrare
nuda nel vento e di sfiorare Dio.

Milano, 17 aprile 1929

Bambinerie in tinta chiara

ad A.M.C.

Ieri, in campagna, ero rimasta sola,
in un prato, a snidare le violette.
Il cielo si era chiuso indifferente
in un suo pastranello grigio chiaro,
spolverato da sbuffi freddolini:
ma la terra, in compenso, mi alitava
sulle mani il suo fiato umido e caldo
e a districare piano i ciuffi d'erba
mi sembrava d'insinuar le dita
fra i capelli d'una persona viva.
Pensavo intensamente al mio fratello
e una lenta tristezza m'invadeva,
diffusa come uno stupore bianco.
Mi dicevo che forse nella vita
non potrò dargli mai neppure un fiore:
un fiore ch'io abbia colto in questi prati
dove, bambina, camminavo scalza
per un'ebbra ed inconscia frenesia
di contatti selvaggi con la terra.
Ieri, s'egli mi fosse stato accanto,
non gli avrei regalato delle viole:
odoravano troppo sottilmente
e, a toccarle, sembravano aggricciarsi
già col presentimento d'avvizzire.
Avrei preso due o tre margheritine,
i più dimessi fiori, i più sereni,
che si lasciano coglier senza brividi,
che non odoran tanto sono puri.
Con pure mani gliele avrei offerte,
gettata tutta la mia vita inquieta

in uno stordimento blando e chiaro,
che mi riconduceva lievemente
la mia rinata fanciullezza intatta.

Milano, 22 aprile 1929

Afa

Oggi
la mia tristezza esigente
a starnazzarmi nell'anima
pesantemente
come scirocco
pregno di salsedine

Milano, 25 aprile 1929

La campana sommersa

Per i miei occhi malati,
una trasparenza di falso cielo,
dentellata di falsi pini.
Da una tempia all'altra,
sospeso a una tensione acuta di violini,
un dondolio d'intensità diverse,
rotto da scrosci fondi.
Nell'anima,
nessun motivo costringente:
poche note sgranate e increspate
liberamente.

Milano, 26 aprile 1929

Minacce di temporale

Al crepuscolo
l’arroganza chioccia dei passeri
a sforbiciare l’acquoso cielo
per inaffiare di pioggia
la mia stizza rinsecchita.

26 aprile 1929

Scampagnata

I

In giardino, un laghetto quasi vero,
con la frangia di salici piangenti.
Noi, tutto il pomeriggio, a schiaffeggiare,
da un fradicio guscetto, l'acqua bassa,
con pazzi strilli di spensieratezza.
Al tramonto, il laghetto insonnolito
a lasciarsi ninnare quietamente
dal gocciolante acciabattio dei remi:
in cielo una diffusa macchia chiara
– l'ultima occhiata languida del sole –
a farci cenno di parlare piano.

II

Non ricordo chi m'abbia offerto i fiori:
credo una ragazzina un po' scontrosa
che aveva delle lunghe trecce, belle.
Io presi il mazzo, silenziosamente:
e d'un subito cadde, a quel contatto
di freschezza recisa, la gaiezza
che tutto il giorno aveva ridacchiato
nel mio quasi fanciullesco cuore.
Guardai ai miei compagni, fissamente;
lo sguardo intorbidato di tristezza.
Mi dicevo che il mio fratello è andato

lontano, senza più fare ritorno:
così, domani, anch'essi se n'andranno,
ciascuno per seguire il suo cammino.
Nascostamente avrei voluto porre
in quelle anime ignare di fanciulli
tutta la gioia che mi è riservata,
perch'essi la ritrovino, da uomini,
quando conosceranno la stanchezza
e piangeranno, soli, nella vita.

III

Accanto a me, al ritorno,
un fascio di serenelle,
abbandonate al vento della macchina in corsa,
a crollare convulsamente le corolle e il fogliame,
come in un riso sfrenato,
sulla mia vana malinconia.

Milano, 1° maggio 1929

Solitudine

ad A.M.C.

Ho le braccia dolenti e illanguidite
per un'insulsa brama di avvinghiare
qualchecosa di vivo, che io senta
più piccolo di me. Vorrei rapire
d'un balzo e poi portarmi via, correndo,
un mio fardello, quando si fa sera;
avventarmi nel buio, per difenderlo,
come si lancia il mare sugli scogli;
lottar per lui, finché mi rimanesse
un brivido di vita; poi, cadere
nella più fonda notte, sulla strada,
sotto un tumido cielo inargentato
di luna e di betulle; ripiegarmi
su quella vita che mi stringo al petto –
e addormentarla – e anch'io dormire, infine...
No: sono sola. Sola mi rannicchio
sopra il mio magro corpo. Non m'accorgo
che, invece di una fronte indolenzita,
io sto baciando come una demente
la pelle tesa delle mie ginocchia.

Milano, 4 giugno 1929

Io, bambina sola

Quei due
davanti agli scogli
a sbaciucchiarsi
e la barca a lasciarli fare
coi remi abbandonati lungo i fianchi
come braccia penzoloni.

Io a fissare
nel mio secchio arrugginito
i granchiolini
e le stelle di mare.

Ma non lontano
i rintocchi decisi delle campane
a ripercuotersi sull'azzurro
in triangoli bianchi di vele
che m'accennano
l'alto.

S. Margherita, 21 giugno 1929

Lampi

Stanotte un sussultante cielo
malato di nuvole nere
acuisce a sprazzi vividi
il mio desiderio insonne
e lo fa duro e lucente
come una lama d'acciaio.

S. Margherita, 23 giugno 1929

Febbre

Di prima notte,
i grilli elettrizzati
a strofinarmi, ad arroventarmi le tempie
e la luna sanguigna
a bollare di spettri rossi
il mio corpo maturo.

Più tardi, la mamma, entrata
camminando piano,
con una fioca oscillante stellina
a farle rosa il cavo della mano:
la mamma che portava una lucciolina
alla sua bimba malata.

S. Margherita, 24 giugno 1929

Ultimo crepuscolo

L'acqua gioca con gli scogli
sbavando
come un cavallo sudato
– due paranze ritornano
con le vele flosce –
Sola sul trampolino,
coi miei vaneggiamenti importuni,
ostento nel grigio
la mia maglia scarlatta:
ma – dentro – l'anima
illividisce
come la carne molle
di un bambino annegato.

S. Margherita, 30 giugno 1929

Da capo

Tanti di noi come quel mucchio d'erba,
accovacciato a farsi bruciacchiare.
Lì sotto, un focherello pauroso
che rode e sugge, senza crepitio.
Di sopra, un'incolore fumatina
a svignarsela lenta.

Poi, due braccia robuste ad adagiare
sulla cenere un altro fascio verde:
Un'altra vita messa a consumare
sulla nostra ch'è spenta.

Carnisio, 10 luglio 1929

Canto della mia nudità

Guardami: sono nuda. Dall'inquieto
languore della mia capigliatura
alla tensione snella del mio piede,
io sono tutta una magrezza acerba
inguainata in un color d'avorio.
Guarda: pallida è la carne mia.
Si direbbe che il sangue non vi scorra.
Rosso non ne traspare. Solo un languido
palpito azzurro sfuma in mezzo al petto.
Vedi come incavato ho il ventre. Incerta
è la curva dei fianchi, ma i ginocchi
e le caviglie e tutte le giunture,
ho scarne e salde come un puro sangue.
Oggi, m'inarco nuda, nel nitore
del bagno bianco e m'inarcherò nuda
domani sopra un letto, se qualcuno
mi prenderà. E un giorno nuda, sola,
stesa supina sotto troppa terra,
starò, quando la morte avrà chiamato.

Palermo, 20 luglio 1929

Copiatura

ad A.M.C.

Nel giallore temporalesco
le mie poesiucole
ricopiate su un quaderno di scuola
per te.
L'anima s'appiattisce
tra passato e presente
come un'avvinazzata corolla di papavero
– a ricordo d'un idillio di viaggio –
fra le pagine di una guida turistica.

Pasturo, 1° settembre 1929

Giorni in collana

ad A.M.C.

Forse erano giornate come queste,
tutte bionde, che paion grani d'ambra
infilati d'azzurro.
Tu venivi fra noi, col tuo tormento
tutto chiuso negli occhi: avevi un viso
bianco e ridente, come di fanciullo.
Ci chiamavi fratelli, ma nessuno
conosceva il tuo pianto;
ci parlavi di luce, ma nessuno
si sbiancava nel volto.
Tu venisti fra noi quando eravamo
ancora delle gemme scure, informi,
chiuse accanitamente.
E quando il lavorìo della tua fiamma
già snidava le nostre anime in boccio,
non ritornasti più. Furono giorni
attutiti di nebbia,
giorni color d'opale e d'ametista,
grigi vezzi di lacrime.

Milano, 16 ottobre 1929

Le mani sulle piaghe

ad A.M.C.

E quando tu te ne sarai andato,
fratello, io seguirò la bianca strada
ovattata di nebbia.
L'acqua andrà remigando come un'ala
languida e nera: giù dai vecchi muri,
qualche grido di verde e di scarlatto,
vite, edera, veccia.
Tanto silenzio ci sarà, lì presso:
un silenzio d'attesa.
Allora farò lieve la mia voce,
farò lievi i miei passi:
m'inoltrerò nel luogo dei malati
come il bimbo che entra in un suo sogno
di paradiso, dove tutto è bianco.
Non ci saran più volti, né capelli,
né età, né nomi: ci sarà un candore
infinito, vorace.
Ma, dal candore, mille urli rossastri
si leveranno: oh, mani
livide, abbandonate sulle coltri;
mani che vi portate come artigli
sopra le piaghe aperte
per difenderle a unghiate o per squarciarle;
mani che avete in voi tutto il dolore
e il mistero dell'essere;
io farò lievi, un giorno, le mie mani
sopra di voi. E là dove il silenzio
è un'attesa di morte o di salvezza,
il silenzio e la fede vestiranno
la mia esistenza nuda.
Fratello, io farò lieve il mio respiro,

l'anima mia farò lieve e sicura
sopra il gran male umano:
dentro i labbri di tutte le ferite
io stagnerò il tuo sangue,
fra le ciglia di ognuno che si strazia
asciugerò il tuo pianto.

Milano, 2 novembre 1929

Capriccio di una notte burrascosa

Le campane mi scandono il ritmo
della salita, stasera.
La notte vapora dai prati,
la notte gorgoglia dal folto
dei boschi; la nera
notte ragnata di vento.

I miei passi non lasciano il ritmo
delle campane, stasera:
campane fonde, faticose, lente
come il mio ascendere.
Improvvisa, lontana
una campana
squilla frequente.
Io sono al termine del mio salire:
m'affretto, giungo in cima all'altura.
Tuona. Sulle vette è tempesta.

Dolce mio bene, noi andremo in alto,
là dove fumano le nebbie fredde,
dove, stridendo, rotan lenti i falchi.
Andremo là dove non hanno nomi
le rocce ed hanno volti,
bianchi volti di tombe.
In una notte come questa,
in una notte di tempesta.
Io serrerò il tuo capo fra i ginocchi,
piano, che non ti faccian male
queste mie ossa dure.
Ti stenderai fra i rododendri.
Fra i rododendri stillanti. Dormirai.

Io pure dormirò, col capo eretto,
come i cavalli sani e stanchi.
Ma poi verrà la nebbia, fredda, greve.
Al mattino ci troveranno morti.
Morti fra i rododendri.
Morti fra le rocce
che hanno volti di tombe.
Morti in una notte di tempesta.
Morti d'amore.

Pasturo, 23 luglio 1930

L'incubo

Nonna, stanotte
ho sognato ch'eri morta.
Venivamo a vederti portar via
dalla tua piccola casa,
in un mattino di tarda primavera.
La glicine era fiorita
e ingigantita così,
che non solo il terrazzo,
non solo la ringhiera,
ma tutto il tetto,
tutta la casa inondava
e ricadeva giù,
di là dai vetri d'ogni finestra,
come un lembo molle
di velo gridellino:
il sole tuffava nell'intrico
le sue mani dorate
e tentava, nelle stanze, la tenebra
con dita ombrate di viola.
Tu eri già chiusa nella cassa:
una cassa chiara,
quasi bianca,
enorme.
Pareva che in tutta la casa
ci fosse soltanto
quella cassa bianca ed enorme
e tutto il resto
tutte le piccole cose tue di povera morta,
esiliate, costrette
fra le pareti e la bara,

come una muta frangia di ombre.
E poi qualcuno ti sollevava
come se non pesassi
e ti portava silenziosamente
attraverso le stanze deserte
che osavano l'ultimo cenno
coi tristi occhi
appannati di viola.
Come se non pesassi:
ma quando si fu in cima alla scala
parve che tutto in peso
si tramutasse
l'enorme biancore della bara.
E vidi che chi ti portava
erano quattro uomini
gonfi di sforzo,
esausti,
che ormai piegavano
sotto il carico atroce.
Non passa, non passa
una bara così grande
per una scala così angusta!
Oh non muovetevi, non muovetevi!
Non vedete quante finestre
in questi muri così stretti
e i grappoli della glicine
che s'affollano ai vetri
per vedere – per vedere...
Fermi, uomini, fermi!
Se uno spigolo
urta queste pareti,
tutta la casa crolla
e la glicine c'inonda!
Fermi, uomini!
Non vedete
che tutta la gracilità del mondo
si tende intorno al macigno,
non vedete

che tutta la povertà della vita
si strema contro la Morte?
Fermi, uomini,
fermi, fermi, fermi!...

18 marzo 1931

L'ora di grazia

Tetraggine lenta, sfinita
di un cortile umidiccio
in maschera di giardino;
ostentata verdezza
di un fico sterile
che non sa né il vento né il sole;
malinconia di una piccola finestra a ogiva,
di un ballatoio ingombro di foglie morte,
di un povero tralcio nero inchiodato al muro
che sopra al ballatoio si sfa
in quattro pampini vizzi.
Qui l'ora di grazia non può essere
se non l'ora delle campane:
quando la sera, cantando,
si getta dalle torri incombenti
e come acqua ricolma
ogni fossa terrena;
quando su ogni stento terreno
che duole in maschera di ricchezza
la sera, come acqua, riflette,
dal cielo al fondo, qualche raggio di stella.

Milano, 7 novembre 1931

Inezie

Così – come di un povero bambino
che quando è morto bisogna
in mezzo al pianto pensare
a prender le misure della bara –
poi ci si mette d'accordo col fioraio
perché mandi il cuscino
e una bella corona –
– Rose bianche, narcisi, serenelle,
che cosa si usa mettere
sul carro di un bambino? –

Così – m'impegno oggi a cercare
come potrei inviarti
questi ultimi fiori dei miei prati –
se in un involto – oppure
in una piccola scatola –
in modo che non sembrino comprati
in un qualunque negozio –
in modo che tu possa riconoscere
le mie mani – su loro –
in modo che non debbano
– sopratutto – avvizzire –

Così vedi – frantumo
me stessa in tante povere
inezie
pietose
se m'impediscono di sentire
che questo è l'ultimo addio –

ch'io reco sulle mani il mio
amore morto –

Milano, 15 maggio 1933

abbozzo

Io penso questa sera
alla leggenda dell'Uccello di Fuoco –
al suo apparire nel folto –
al suo canto liberatore –

e tutti narrano
del giovane principe
e del sonno dei nemici
e della sua salvezza –

nessuno pensa all'albero oscuro
dove l'uccello apparì
la prima sera –
nessuno pensa alla vita dell'albero
dopo quella sera
senza più la vampa
delle ali magiche –

io sola so
come l'albero viva
di nostalgia e d'attesa –
e intorno veda
la gente che si aggira –
ma nessuna veste variopinta
vale per lui
lo splendore
dell'Uccello scomparso –

l'albero non sa più
per chi sia il suo fiorire –
e per ogni foglia che nasce

si torce nelle intime fibre –
l'albero non sa più
a chi offrire
il suo strazio primaverile –
e attende la notte –
la notte nera senza stelle senza fontane –
l'ora del buio silenzio –
quando dalle profonde radici
in un balenio estremo accecante
sorgerà correrà per il fusto
sino alla cima delle fronde –
unico bene suo –
il ricordo infuocato dell'Uccello –

marzo-agosto 1933

L'operaio delle luci

E sempre queste travi e questa polvere.
A volte
la tela ruvida dello scenario
si gonfia – accanto
alle mie mani, al mio viso.
Quando è stretta la scena
– una camera da letto –
la tela allora va distante:
c'è aria
qui intorno al mio quadrante
d'interruttori bianchi e neri.
Una sera
ho guardato dall'orlo del sipario:
c'erano siepi pallide di volti
come pani crudi
in attesa nel forno di velluto.
Stanotte dovrò spegnere le luci
a metà della scena d'amore:
arrossiranno
laggiù le facce smunte, continuando
sole in mezzo al frastuono
il desiderio
di quel che non s'avvera.

Mi passerà vicina, calda, bianca,
abbrividendo con le spalle nude
all'aria dei ventilatori:
credo
che sarà verde stasera la sua veste.

n.d.

NOTE

Questa è la più completa edizione critica dell'opera poetica di Antonia Pozzi. Presenta 28 poesie inedite oltre alle 248 già pubblicate in *Parole* (1989), 7 in *Pozzi e Sereni. La giovinezza che non trova scampo* (Scheiwiller, 1995) e 5 in *Mentre tu dormi le stagioni passano...* (Viennepierre, 1998). Di tutte viene riportata la versione originale, liberata dalle correzioni e ripristinata rispetto ai tagli operati da altre mani, in particolare dal padre della poetessa. Si dà inoltre indicazione delle varianti sui Quaderni e si opera un confronto tra gli stessi, l'edizione Mondadori 1964 e, nel caso, anche i taccuini di L. Bozzi e i fogli sparsi, laddove si dimostri necessario o comunque interessante per la radiografia del lavorìo stilistico dell'autrice. Si considera definitiva, comunque, la redazione dei Quaderni.
Nella presente edizione sono ripristinate le dediche ad Antonio Maria Cervi, che nei Quaderni appaiono censurate dalla stessa mano del padre, fatto da collegarsi alla forzata interruzione del legame d'amore tra la giovanissima poetessa e il suo professore.

SIGLE

Q = quaderni manoscritti
F = fogli sparsi manoscritti
LB = taccuini di Lucia Bozzi
M = *Parole*, Mondadori, Milano, 1964

DEDICA

Questa dedica apre il primo quaderno.

TRAMONTO CORRUCCIATO

Titolo barrato.
In *Mentre tu dormi le stagioni passano*, Viennepierre, Milano 1998

OFFERTA A UNA TOMBA

Ripristinata la dedica.

La tomba è quella di Annunzio Cervi, fratello di Antonio Maria, poeta, volontario nella guerra '15-18 e morto sul Grappa pochi giorni prima della vittoria, il 25 ottobre. La poesia di Annunzio Cervi, la cui prima raccolta, *Poesie*, era stata pubblicata nel '20 da E. Pappacena, influenzò notevolmente la primissima poesia di A. Pozzi, soprattutto per ragioni affettive, ma anche perché ancora alla ricerca di un timbro poetico personale, cosa più che scontata in una adolescente (cfr. A. Pozzi, *Lettere*, Archinto, 1988).

UN'ALTRA SOSTA

L.B. è Lucia Bozzi, grande amica e confidente di Antonia, compagna di scuola, prima al liceo e poi all'università. A lei si deve il merito di aver custodito per lungo tempo le poesie che A.P., quasi per testimoniarle la propria amicizia, le faceva timidamente scivolare nelle tasche: si tratta di fogli di varia misura e senza pretese che, uniti agli altri conservati tra le carte della poetessa, costituiscono una delle grandi ricchezze dell'Archivio di Casa Pozzi, a Pasturo. Essi consentono infatti di accostarsi direttamente alla poesia di A.P. nel suo farsi, parola per parola, verso per verso, fino alla stesura definitiva sui quaderni o su altri fogli. L. Bozzi, inoltre, dopo la morte dell'amica, ricopiò dai suoi quaderni, e in parte fece ricopiare dalla sorella su cinque piccoli taccuini, poesie che non aveva avuto direttamente da A.P.; anche questi, donati all'Archivio Pozzi, sono un documento prezioso, perché permettono di ritrovare nella loro integrità le poesie che nei quaderni sono corrette da mano estranea.

AMORE DI LONTANANZA

Ripudiati due versi di esordio: Sfumar le cose in una nebbia azzurra / anche se ostentano il più crudo verde.

DISTACCO

T.F.: forse Teresita Foschi, compagna di liceo, il cui nome e indirizzo compaiono tra quelli di altri compagni e di professori su un foglio di quaderno.

RITORNI

Ripristinata la dedica.

ODORE DI FIENO

10 impura | in Q l'aggettivo è cancellato con spirali a inchiostro; in M è cassato.

INNOCENZA
Tutto il testo è cancellato con le consuete spirali, ma è possibile decifrarlo; esso si legge integro anche in F1 e F2.

PACE
Ripristinati la dedica e i vv. 10-12 che in Q sono cancellati con il metodo consueto e sono cassati in M.

FILOSOFIA
12 la sua mamma | [e] la sua mamma
15 il suo antico sorriso | [l'] antico [suo riso]
16 e trova | [ma] trova
18-19 andare. / Stasera | andare – / [e] stasera

CANTO SELVAGGIO
In *Mentre tu dormi...* cit.

FLORA ALPINA
Ripristinata la dedica.
7-9 Questo dono / non può farti del male, perché il cuore / oggi ha il colore delle genzianelle. | [Io te la dono / poiché l'anima, oggi, ho fresca e vera / come il colore [l'azzurro] delle genzianelle. → Questo dono [mio] / non [ti] può far del male, perché il cuore [oggi] [oggi] [oggi] /

CANTO RASSEGNATO
Titolo barrato.
Ripristinata la dedica.
In *Pozzi e Sereni. La giovinezza che non trova scampo*, cit.

VANEGGIAMENTI
[Rimembranze]→ [Dov'ero?]
Ripristinata la dedica.

ELEGIA
13 Così e poi | Così e [in più]

FUGA
Ripristinata la dedica.
16 ci addosseremo | ci [stringeremo]
18 della carne | de [i] muscoli
24 aggrappata | [avvinghiata]

DOLOMITI
Nel ’29 A. Pozzi apprendeva a cimentarsi con la montagna, alla scuola d
Guido Rej, famosa guida alpina (cfr. A. Pozzi, *L’età delle parole è finita*
Archinto, Milano 1989).
11 fragilezza ardente | fragilezza [astuta e] ardente

LA DISCESA
Ripristinata la dedica.

L’ERICA
In *Mentre tu dormi...*, cit.

ALPE
In *Mentre tu dormi...*, cit.
[Agli scalatori caduti]
3 erano licheni | erano [dei] licheni
8 bello morire | bello [il] morire
18 l’alito / di vite arcane riarse di purezza | l’alito / di [mille eteree vite
misteriose] → di una vita [riarsa di purezza] → [di una vita consunta
dall’altezza] → [di una vita] di [arcane] vite
19 ed il sole è un amore che consuma | ed il sole è un amore che
[distrugge]
25 schiantarsi | [spezzarsi]
26 mente| [falla]

FANTASIA SETTEMBRINA
In *Mentre tu dormi...*, cit.
Il titolo è barrato.
31 per la fretta; e in noi | [e in cielo qualche sciarpa sbrindellata / di
nebbiolina, dietro cui si spande, come una macchia inumidita, il sole.] /
[E] in noi

RITORNO VESPERTINO
Sopra il titolo autografo è apposto, con grafia del padre di A.P., il titolo
Rondini a sera, adottato in M.

LAGO IN CALMA
Titolo e testo barrati.
10 le respinge, le opprime | le respinge [e] le opprime
13 sui nudi prati, fra gli abeti neri | sui nudi prati, sugli abeti neri

LARGO
[Vagabondaggio crepuscolare]

15 fantasmi | fantasimi
28 Poi ch'io | [Per] ch'io

NOVEMBRE
20 quando accadrà | [se] accadrà
16-17 forse qualcosa che ancora | non è – | forse qualcosa che ancora non è –
18-19 forse qualcuno che sarà / domani – | forse qualcuno che sarà domani –

SORELLE A VOI NON DISPIACE
Le «sorelle» sono L. Bozzi ed E. Gandini: A.P., più giovane e timidissima, taceva per tutta la strada.

NOTTURNO INVERNALE
6 nel cielo viola | nel cielo [di] viola
9 i tetri pini | [gli abeti cupi] → [i tetri pini]
10 della neve. | di neve [e di luna]
13-14 una grazia cade / dal cielo| una grazia / cade [dal cielo] → una grazia / cade [dall'alto] → una grazia / [cade] / dal cielo
16-18 Ed io ti sento l'anima battere, / dietro il silenzio, / come un filo vivo di acque | [D]ietro il silenzio, / [io ti sento l'anima battere,] / [–pare] un filo vivo di acque [che canti] –
34 due rondini che s'incrociano | due [piccole] rondini / che s'incrociano
37 per plaghe remote | per [spiagge] remote
M inserisce una spaziatura tra i vv. 10-11 e 26-27.
 37 plaghe → lidi

LA PORTA CHE SI CHIUDE
19 E l'ultimo | [Ma] l'ultimo
20 – io lo so – [quando] – io lo so –
M elimina la suddivisione in strofe.
 I vv. 1-8 sono così modificati:
 Tu lo vedi, sorella: io sono stanca –
 come il pilastro d'un cancello angusto
 diga nel tempo all'irruente fuga
 d'una folla rinchiusa.
 I vv. 25-26 e 35-36 formano un unico verso.

IN RIVA ALLA VITA
1 Ritorno | [Io] ritorno
33-35 il canto alto delle campane: ed io sosto / pensandomi ferma stasera / in riva alla vita | il canto alto delle campane: / ed io mi penso

ferma stasera / in riva alla vita → il canto alto delle [grandi] campane: / [ed io mi] pens[o] / ferma stasera in riva alla vita

L'ORMA DEL VENTO
5 l'anima incontro | l'anima / [incontro]
32 chiama i miracoli! / [Non la mia pena, / non il mio sangue, / impuri.]
47 basta il pensiero | [mi] basta il [puerile] pensiero
51 si chiuda in queste | [si chiuda] forse in queste → [è chiuso forse] in queste
57 fanciullescamente mi dono, | fanciullescamente io dono, → fanciullescamente mi dono, → fanciullescamente [io] mi dono,

NEL DUOMO
46 e tutta si allarga | e [si allarga placata si adagia]
48 Sfocia così il tumulto | Sfocia così / [il tumulto]
54 che si plachi | che si plac[a]

DOMANI
10 le ombrelle nere dei pini | le [volute] dei pini [italici]
70 vedi che cosa ti ho portato? | vedi [, amore,] / che cosa ti ho portato?
M presenta sottrazioni onerose (vv. 8-21; 24-26; 41-52; 55-63), corrispondenti in Q a segni di espunzione non autografi; inoltre suddivide il testo in strofe.

ROSSORI
In questo periodo A.P. si rimprovera di non saper scrivere qualcosa di una certa lunghezza; la lirica è appunto riuscita prolissa.
Il cancello è quello della villa di Pasturo.
M 28 [Ma] Davanti al cancello
  1-27 e 36-56 sono cassati.
  Tra i vv. 35-36 interpone una spaziatura.

ESEMPI
Tutta la prima strofe è barrata a matita,
13 immolla | di fianco a «immolla» è scritto a matita, appena leggibile, «imbeve», ma non si considera una variante di A.P.
M è cassata la prima strofe.

SOGNO DELL'ULTIMA SERA
7 un addio | [l']addio
45 Mamma, che sono |Mamma [,mamma] che sono
49 Briciole sono! | Briciole [, briciole] sono!
56 che hai versato | che versa [sti]

ESILIO
12 l'acqua | [e] l'acqua

NOSTALGIA
10 – lo sai – | non lo sai?

FEDE
30 la Patria? | la patria [sovra ogni patria vera?]

RISVEGLIO NOTTURNO
M *Risveglio*; tra i vv. 9-10 inserisce una spaziatura.

L'ANTICAMERA DELLE SUORE
15 si accendono presto le lampade | si accendono presto [tutte] le lampade

NEVE
8 neve fredda | neve [bian] fredda

ERRORI
2-4 sui cesti delle fioraie: imbianca / le giunchiglie e le viole / le fresie magre, venute | Q sui cesti delle fioraie [esposti]: / imbianca / le giunchiglie e le viole, F sui cesti [esposti] delle fioraie / imbianca le giunchiglie e le viole / le fresie magre / venute → sui cesti delle fioraie / esposti / imbianca le giunchiglie e le viole / le fresie magre / venute
9 per le vie / F [sulle] vie
10-12 serra / per le vie d'oro dell'anima / a cui neve non giunge | F [prende] per [quella] terra d'oro / delle anime] / dove non [cade] neve. → [spinge] / per [la terra] d'oro dell'anima / [dove] non [scende] neve. → trae per [quel] suolo [d'oro] dell'anima / [dove] non [scende]neve. → [trae] per [il suolo] dell'anima / [su] cui neve non giunge. → spinge per [quelle] vie d'oro dell'anima / a cui neve non giunge.

GIOIA
11-12 questo tuo splendore / vero. | questa tua [sola luce] / vera.

LIMITI
7 Né c'era allora | [e non c'era, non c'era allora]

PAURA
5 come un colchico lungo | [Nuda come uno sterpo –] / come un colchico lungo [nuda]

PREGHIERA

I vv. 11-12 sono separati tra loro da un marcato segno di matita e dalle parole «fin qui» che corrispondono alla espunzione operata in M.

21 ridammi una stilla di Te, | [una stilla] una stilla di Te,

M 2-3 ch'io non ho voce più per ridire

6-8 ch'io non ho occhi più per i tuoi cieli, / per le nuvole tue consolatrici.

12-24 cassati.

GIORNO DEI MORTI

Il testo è barrato con un tratto a inchiostro. Al di sopra del titolo autografo è apposto da mano estranea un altro titolo: *La voce dei morti*, adottato in M.

1-3 Dall'anima sfinita i sogni / come fogliame cadono / a lembo a lembo. | Dall'anima sfinita come fogliame [cadono] a lembo a lembo [i sogni.] → Dall'anima sfinita i sogni / come fogliame / a lembo a lembo [cadono.]

13 dai morti veniamo| dai morti [nasciamo]

20 di Te | [della tua Verità],

25-27 Non c'è salvezza, / fuori di Te / Signore.| Non c'è salvezza, / Signore, / [non c'è salvezza fuori di Te.]

M 19-20 il mare eterno / della Tua Verità.

25-27 Non c'è salvezza / Signore / non c'è salvezza fuori di Te.

Tra i vv. 20-21 manca la spaziatura.

TRAMONTO

Sotto il titolo autografo è scritto un altro titolo, a matita, da mano estranea: *Inverno*, adottato in M.

CREPUSCOLO

M I vv. 3-4, 14-15, 16-17, 18-19 sono allineati in un unico verso.

SOGNO NEL BOSCO

6 lontano | [remoto]

16 infiorino | [fioriscano]

M titolo: *Nel bosco*

I vv. 7-8, 9-10, 11-12, 13-14-15 sono allineati in un unico verso.

I vv 17-22 sono cassati.

SOGNO SUL COLLE

10 Vorrei cogliere un mazzo di pervinche | Raccogliere vorrei / sotto lo strazio / degli attorti rami / un mazzo di pervinche → Raccogliere vorrei / [sotto lo strazio] / [degli] attorti rami / un mazzo di pervinche → [Raccogliere vorrei sotto gli attorti rami] / un mazzo di pervinche

11-12 fiorite / nei cavi tronchi | [fiorite] / nei cavi tronchi → fiorite nei cavi tronchi
13-14 e camminare per il viale oscuro / dei lecci | e passare lassù / pel viale oscuro dei lecci → e passare lassù / [pel viale] oscuro dei lecci → e [passare lassù] / per l'[erta oscura] dei lecci e camminare per il viale oscuro dei lecci

24 e attinge acqua | e attinge [l']acqua

STERILITÀ
28 in questa mia vita! | [per questa] vita!

LUCE BIANCA
Ricordo di un cimitero inglese a più di un anno dal soggiorno in Inghilterra.
16-17 come in un riso / bianco | come in un riso [bianco]

PUDORE
1 Se qualcuna delle mie povere parole | M: Se qualcuna delle mie parole

UNICITÀ
In Q l'ultima strofe è cancellata con il consueto metodo, ma è decifrabile.

ALBA
[Sogno antico]

SERA
2-3 che questo mio resto di vita / si aggeli | M che la mia vita si aggeli, (secondo la correzione apportata dal padre di A.P. in Q.)

LUME DI LUNA
M è soppressa la spaziatura tra i vv. 17-18 e 21-22.

I FIORI
Tutto il testo è barrato con tratti obliqui di matita.

S. MARIA IN COSMEDIN
13 Custodisci ora tu | [oh] custodisci[mi] tu
16 ch'io reco – | [che] io reco –
19 consacramelo tu | [oh] consacralo tu
20 sul tuo | [sopra il tuo]

COSÌ SIA
19-20 oh, concedimi Tu / questa sera | oh, concedimi Tu questa sera M 24-25 formano un unico verso.

STELLE SUL MARE
[Le] stelle sul mare
Titolo e testo barrati.
3 tutte mie – | [tutte mie –]
4 che passate | che passate [– che passate]
11 la tenda | la [s]tenda

Λύχνος
Ricordo della crociera in Sicilia.
11-12 nel tramonto – cérulo / l'aperto mare –| nel tramonto –/ cérulo l'aperto mare –
16 il borgo – a vendere | il borgo /– a vendere
23 così diafana sei –| [quasi] diafana sei –
26-29 O non traluce in te –| nella tua creta / pallida –/ un chiarore oltreumano? | [O non mi porti tu / nel pallore / della tua creta / la luce veritiera dei Morti?] → [Forse] nella tua creta [pallida]/ [trema] / un bagliore oltreumano? → [Forse] traluce in te – nella tua creta / pallida / un chiarore oltreumano? → [Quasi] traluce in te –

L'ANAPO
I vv. 4-9 e 18-32 sono contornati con un tratto di matita: difficile stabilire se i segni sono autografi; in F e in LB3 il testo è intero.
2 salpa | [parte]
34 Ciane azzurra | [la fonte] Cìane azzurra
35-36 ed un'altra / fonte è laggiù –| [e l'altra] fonte è laggiù –

SOLITUDINE
3 non trascolorato ancora in sera | non trascolorato / [ancora in sera]
8-9 tu cerchi invano chi possa / in quest'ora per un tuo voto giungere | tu cerchi invano [qual viso] / possa in quest'ora per un tuo voto giungere → tu cerchi invano chi / [possa] in quest'ora per un tuo voto giungere
16 delle sue / rondini –| delle sue [rondini –]

LAMENTAZIONE
Si trova solo in F, dove le prime due strofe sono autografe, mentre la parte restante della poesia è scritta dalla sorella di L.B., la quale, insegnando a Brescia, l'aveva pregata di aiutarla nel delicato compito di copiatura.
In Q la poesia si trovava tra *Solitudine*, del 4 maggio, e *Canzonetta*, del 12 maggio 1933, dove un foglio è tagliato e sostituito con uno bianco, su cui

è incollata la metà della pagina successiva, che contiene le prime due strofe di *Canzonetta*. La sottrazione è postuma alla copiatura in F, come dimostra il salto nella numerazione delle pagine, (da 38 a 43), fatta da mano estranea e, soprattutto, il salto nella numerazione delle poesie (da 60 a 62), fatta in occasione della prima edizione pubblica di *Parole*. Tale certezza deriva dal fatto che soltanto le poesie apparse in quella edizione sono numerate, mentre non lo sono quelle aggiunte nell'edizione 1964 e quelle non edite.

CANZONETTA
6 che si liquidano a prezzi dimezzati – | che si liquidano / a prezzi dimezzati –
33 qui – | [così –]
M spaziatura cassata tra i vv. 21-22 e 23-24.

MALEDIZIONE
Accanto al titolo autografo è apposto, con grafia del padre di A.P., un altro titolo, *Rive perdute*, adottato in M.
17 la via – | la [nostra] via –
M cassati i vv. 21-22 e la spaziatura tra i vv. 20-21.

I MUSAICI DI MESSINA
8 con il figlio | con [tuo] figlio

RESPIRO
La poesia è dedicata all'amica Elvira Gandini (cfr. n. a *Sorelle, a voi non dispiace...* e A.P., *Lettere*, cit.)
Tutte le poesie che portano l'indicazione di Breil (antica denominazione di Cervinia Breuil) si riferiscono a un campeggio nell'estate del 1933; lo «strumento fanciullesco» è un'armonica a bocca, suonata dall'amica.

PENSIERO DI MALATA
11 A sera | [E a] sera
12 assedieranno | assedi[ando]

MANO IGNOTA
17 che la pioggia confina | che la pioggia [relega]

IL VOLTO NUOVO
Si trova solo in due F, su uno scritta a matita, sull'altro a inchiostro. Risulta difficile stabilirne la priorità: qui è riportata la seconda. In Q la poesia si trovava tra *Mano ignota* e *Cervino*, rispettivamente del 15 e del 20 agosto 1933, dove risulta tagliata la parte di foglio sottostante agli ultimi cinque versi di *Mano ignota*, che sono incollati su un foglio

bianco. In trasparenza si possono individuare, cassati con le consuete spirali, i vv. 13-18. Il titolo della poesia, inoltre, compare nell'indice dattiloscritto apposto ai Quaderni, proprio fra le suddette poesie. Il testo è stato dunque sottratto dopo la compilazione dell'elenco e prima della numerazione delle pagine, che è regolare.
I vv. 22-30 mutano radicalmente tra F1 e F2.
F2 Fosse un quadro di chiesa
nessuna vecchia vorrebbe
inginocchiarsi ora
a pregarlo:
perché non è più questa
la sua cara Madonna –

questa è quasi la maschera
di una donna
perduta.

ATTENDAMENTO
20 Per noi, portati | Per noi | [portati]
27-28 gli occhi le mani / il cuore – | gli occhi le mani il cuore –
M 15-19 cassati
10-11 spaziatura cassata

DISTACCO DALLE MONTAGNE
5 la vostra chiesa m'accoglie | la vostra chiesa / m'accoglie
8 malinconia | mel[a]nconia
21-22 il riso in bocca / a un fanciullo –| il riso in bocca a un fanciullo
M Tra i vv. 15-16 e 19-20 cassata la spaziatura.

SETTEMBRE
6 e adunano umidore per i sentieri | e adunano umidore / per i sentieri
23 stia sulla riva di un lago | stia sulla riva / di un lago

LA ROCCIA
7 il taglio | [oh,] il taglio

AMORE DELL'ACQUA
9 Tutta l'ombra e la frescura del mondo | Tutta l'ombra / e la frescura del mondo

LA GRANGIA
5 rispecchiare in terra | [in terra] rispecchiare

9 Presso la nera soglia | Presso la [soglia] nera

GIARDINO CHIUSO
M I vv. 15-16 formano un verso unico.
PER UN CANE
In M è riportata con onerosi tagli di ordine stilistico e suddivisa in strofe:
1-8 Undici anni con noi:
ora qui, nella buca
che ti abbiamo scavato.
9-10 cassati
11-14 Ma il gemere
di dolore, di gioia
per ognuno che partiva, tornava
19-21 tu lo guardavi
e gli lambivi le mani –
25 cassato.
28-36 cassati.

LA FORNACE
In *Pozzi e Sereni...*, cit.
8-9 la mamma mi portava /– per scaldarci – | mamma per riscaldarmi mi portava → la mamma per [ri]scaldarmi mi portava → la mamma [per scaldarmi mi portava] → la mamma mi portava /– per [ri]scaldarci –
19 sembravano una ruota| sembravano un muraglia / curva, una ruota → sembravano [una muraglia / curva,] una ruota
41-42 Era notte, era novembre, / sui monti c'era | Era notte, era / [novembre,] sui monti c'era

STRADA DEL GARDA
7-8 il più dolce / di quei poeti | riferimento a Catullo.

MATTINO
6-7 trae dalle nebbie le bende / per le ferite nascoste: | trae dalle nebbie le [pure] / [bende] per le [nascoste ferite:]

NOTTE E ALBA SULLA MONTAGNA
I vv. 13-24 sono barrati con tratti di matita e sono cassati in M.
25 Ora | In M: Or; in Q la «a» è barrata con due piccoli ma ben evidenti segni di matita, che non si ritengono autografi, anche in relazione alla ripresa anaforica della strofa successiva.
37 nuove campane: | [prime] campane:
Questa variante rivela che la redazione definitiva è quella di Q, che viene accolta nella presente edizione.

NON SO
In F ha il titolo *Senza conoscerti*, al quale è apposto da altra mano il titolo di Q

SOLE D'OTTOBRE
9-10 e il sole in quella / brucia | e il sole in quella brucia

STELLE CADENTI
3 l'immenso | immenso

VENEZIA
19-21 il suo battito all'ala / di un colombo, al tonfo / dei remi. | il suo battito all'ala / di un colombo – / al tonfo / di questi remi – → il suo battito [all'ala / di un colombo –/ al tonfo / di questi remi –] → il suo battito [al tonfo] dei remi.

CIMITERO DI PAESE
Cimitero di paese / che lontani monti / col pensoso sorriso della prima neve / guardano; |
Cimitero di paese. che lontani / monti con il pensoso / sorriso della prima neve / guardano; → Cimitero di paese, [che lontani] / monti [con il pensoso] sorriso della prima neve / [guardano;] → col pensoso sorriso / della prima neve [guardano;]
27 e s'ode | e s'ode [alto]

SERA SUL SAGRATO
7 stanche : s'aduna | stanche [e] s'aduna
14 onde: | i due punti sono contornati con un segno di matita e sostituiti con un trattino; tale correzione non si ritiene autografa e corrisponde a M.
M 21 a' miei piedi
33 placa – / facendoli veri
A Laveno erano sepolti i nonni paterni e abitava la zia Ida, sorella del padre.

ALL'AMATO
In Q accanto al titolo autografo è scritto, a matita, con grafia del padre di A.P., *Tu sei tornato*, adottato in M, dove sono cassati i vv. 6-35 ed è mutata la suddivisione in strofe.
9 di pietra, | di pietra, [c'era]
10 il passo lento | i pass [i neri]
25-26 che morde / le erbe di Dio. | che morde le erbe di Dio.
37-38 come un fedele / stormo di rondini | come un [o stormo / di care] rondini

LA MORTE BIONDA
In *Pozzi e Sereni...*, cit.
12 pareva che non una donna | [e non pareva allora che una donna]
IL CIELO IN ME
La pagina che conteneva i vv. 10-28 è tagliata al v. 24 e incollata su un foglio bianco, sotto il quale si intravedono i vv. 25-44 che sono leggibili in LB4. Sulla pagina successiva si trovano i vv. dal 45 alla fine; il v. 45 è siglato «da qui» e corrisponde al primo verso in M, dove la poesia è mutila dei vv. 1-44.
51-53 sono prima cassati e poi riscritti nelle interlinee.
54 ancora voglio | Ancora voglio → [Io a]ncora voglio

COSE
In *Pozzi e Sereni...*, cit.
Sia in Q che in LB4 è barrata con tratti a inchiostro.

FIUME
7-8 le tue / onde –| le tue [onde –]
6 s'innalza | M s'erge

NAUFRAGHI
3 a sé solo – la storia di una dolce casa | a sé solo –/ [la storia] / d[ella] dolce casa → a sé solo – la storia / di una dolce casa
14 nati in noi. | [da noi nati.] → [che nascono da noi.]

NEVE SUL GRAPPA
5-7 di roseti spogli – e i cipressi / che salgono lenti, per scale / di colli – ai tuoi fianchi | di roseti spogli / [e i cipressi] che salgono lenti, / ai tuoi fianchi – / per scale di colli–]
17 nasce | [e]sce
M 7 di colli a'tuoi fianchi
14 cassato; corrisponde a una cassatura a matita in Q, certamente non autografa.

DESIDERIO DI COSE LEGGERE
11-12 Ma giungerà una sera / a queste rive | Ma [forse] una sera / giungerà a queste rive

PENSIERO
1 Avere due lunghe ali / d'ombra | Avere due lunghe ali [d'ombra]

SENTIERO
Sopra il titolo autografo è scritto, con grafia del padre di A.P., *Lungo il torrente*, adottato in M.
Il sentiero e il cancello sono quelli del cimitero di Pasturo.

PIANURA

Non è datata, ma è dell'agosto 1934, essendo situata tra *Rifugio* e *Preghiera alla poesia*, rispettivamente del 9 e del 23 agosto.
5 come montagne intessute | come mont[i]agne intessut[i]

PREGHIERA ALLA POESIA

25-26 A chi con occhi di pianto / si cerca –| a chi [si cerca] con occhi di pianto [,]
M 8-9 sono cassati.

ODOR DI VERDE

In *Pozzi e Sereni...*, cit.
Sia in Q che in LB4 è barrata a matita.

RINASCERE

Tutta la prima parte è barrata con un leggero segno di matita ed è cassata in M.
2-3 gioia: di là / dalla mia carne greve, | gioia: / [di là] dalla mia carne / [greve,]
14 germogli –| germogli [,]
15 ma così basta | [che] così basta → [ma] così basta → [che] così basta
34-35 una sera / viene il vento, | una sera viene il vento,
59-61 campani / lavati all'ansa / del fiume –| campani [lavati] / all'ansa del fiume –

TRE SERE

Barrata con un lieve tratto di matita
2 assordante | [scrosciante]

LE MANI

In *Pozzi e Sereni...*, cit.
Tutto il testo è barrato con un lieve tratto di matita.

PAUSA

Barrata con un leggero tratto di matita.

CONFIDARE

11 leggendarie | leggendarie [– costruire palagi / azzurri nelle grotte tenebrose –]

LE TUE LACRIME

Barrata con un lieve tratto di matita.

L'ANCORA
I vv. 2-6 sono segnalati con una parentesi quadra non autografa e sono cassati in M.

LE STRADE
[Voci nel]le strade

ANNOTTA
Barrata con un lieve tratto di matita.
4 rocce | [cime]

IL DAINO
M 13 su' tuoi fragili zoccoli,

AFRICA
Nasce, come la precedente *Atene*, dal ricordo di una crociera nell'aprile del '34, in compagnia della zia Ida.
M 10 de' tuoi Santi

IL SENTIERO
11-12 di averti avuta / bambina | di averti avuta [bimba]
24 Lassù, nel breve orto disteso | Lassù, / nel breve orto disteso

UN DESTINO
A. Pozzi conclude così la tesi di laurea *Flaubert. La formazione letteraria*: «Per chi non riesce, per una sua posizione, a lottare; per chi non è capace di sacrificarsi abbastanza devotamente a un compito; per chi non sa formulare, davanti al proprio destino, una propria preghiera, saranno eternamente ammonitrici queste parole, che dicono un destino e sono una preghiera: – Noi siamo soli. Soli come il Beduino nel deserto. Bisogna che ci copriamo il viso, che ci stringiamo nei mantelli e che ci gettiamo a testa bassa nell'uragano – e sempre, incessantemente – fino alla nostra ultima goccia d'acqua, fino all'ultimo battito del nostro cuore. Quando moriremo, avremo questa consolazione: di aver fatto della strada e di aver navigato nel Grande».
M 27 nel limpido deserto de' tuoi monti

RADICI
9-10 vive un esiguo mondo / d'erba e di terra | [un mondo esiguo vive / di terra e d'erba / che non può tradire.]
12 e 23 profonde nel grembo | [nel grembo profondo]

STANCHEZZA
5 Come a un mortale | Come [d]a un mortale

6 pericoloso scampata, | pericolo [salvata]
7 con gesto umile – i gridi | con gesto umile [i rintocchi]
M 5 come ad un mortale

DOPO LA TORMENTA
15-16 di fresca neve – armoniosa / come un arco | di fresca neve –/ come un arco [armonioso]

VOLI
4-5 di foglie vive / si veste, | di [fitte] [folte] foglie / [vive] / [t]i vest[i].

SMARRIMENTO
6 come fosse per venir sera. | come fosse / per venir sera.

DON CHISCIOTTE
Nasce dall'impressione riportata dopo la visione del film *Don Chisciotte* (testimonianza di L. Bozzi).

INFANZIA
5 tinnivano | F cadevano
15 una campana chiamava a riva | una campana / chiamava a riva
16-17 la tua gioia assolata / di bambino. | la tua gioia assolata di bambino.
M 14 cassato.
15 una campana richiamava

LA SORGENTE
In F ha il titolo *Condanna*; quello di Q vi è riportato da altra mano.

CREATURA
16 gli aliti in nebbia rappresi e dissolti | M gli aliti in nebbia rappresi [e dissolti]

ASSENZA
M Tutta l'ultima strofe è così modificata:
Lenta vagò la barca
sotto l'assorto cielo,
in rosso cerchio
vedemmo crescere alla riva
le azalee, cespi muti

DOPO
8 traversare la notte: | [passare in corsa nella] notte:
9-10 il vento – curvo / sul letto dei torrenti –| il vento / [curvo] sul letto

dei torrenti
12 incolmabili valli nel silenzio. | incolmabili valli [nel silenzio.] → [nel mio silenzio] / incolmabili valli.
Una prima redazione senza titolo si trova in F:
Quando la tua voce
avrà lasciato la mia casa
ci saranno ancora
di là dal muro – nella sera –
parole rauche di vecchi
a nominare
sotto rare stelle
le montagne
invisibili.

SUL CIGLIO
7 livida |[pallida]
10 mentre assorto traspare | mentre [in basso] traspare
11 il volto della terra nel vuoto. | il volto [nudo] della terra / [nel vuoto.]

OTTOBRE
2 quest'acqua notturna sui ciotoli: | quest'acqua notturna [fra] i ciotoli: / [gela] / [nella fontana un fioco lume.]
3 Lànguono / fuochi di carbonai sulla montagna | [Palpitanti fuochi] / di carbonai sulla montagna: [lànguono, / vicini alle stelle.] → Lànguono / fuochi di carbonai sulla montagna / [presso le stelle] / e gela / nella fontana un fioco lume.
10-11 in poca polvere / dietro un dosso scomporsi. | in [muta] polvere / dietro un dosso [scomporsi.] → [In] poca polvere / dietro un dosso / [scomporsi] muta. → in poca polvere / dietro un dosso scomporsi [muta.]

LE DONNE
14 laggiù | l[à]

SPAZIOSO AUTUNNO
5 il braccio bianco di Venere | il braccio [tondo della statua]
6 in fondo al viale | in fondo al viale // [lasciamo nell'erba i sedili vuoti / (il velluto s'inzupperà / di rugiada)]
13 le ombre delle lor lunghe criniere| [l'] ombre delle lor[o] lunghe criniere
15 Inseguiamo fitte orme di zoccoli. | Inseguiamo fitte orme [nella sabbia.]
M 10 nella stalla

SALITA
14 così soli | [andiamo] soli

NOTTE DI FESTA
8 con le trombette | le trombette
19-20 Non bestemmiare soldato alpino: batti gli occhi nell'aperta notte | [Non fa rumore la tua grossa mano / sulla maniglia: / freddo lampo azzurro / delle tue palpebre nell'aperta notte.]
21 Le signorine ballano ancora | [E balla ancora] → Le signorine [vogliono] ballare. → Le signorine [hanno voglia ancora / di ballare.]
22 Come | Ma come
23 queste [mie] mie spalle
24-25 chi cercava / le mascherette di cartapesta? | [pesa / la frangia lunga della mia veste.]
26 io canto | Io canto
28 E già sui vetri illividisce e intesse | E già sui vetri illivid[endo] / [intesse]
29 gelate fioriture l'alba segna | gelate fioriture [l'alba:] / segna / gelate fioriture / [l'alba] segna
33-34 In alto / tu fra i mortali blocchi | [In alto] tu fra i mortali blocchi / [in alto]
39 aurora | [luce]
40 la slitta attende | [posa] la slitta → la slitta [aspetta]
41-42 coi suoi rami verdi / in croce. | coi suoi rami [verdi] / [in croce.] → coi suoi rami verdi in croce. → coi suoi rami verdi [in croce].

COMMIATO
1 Si levarono alate di tormenta | [A mezzogiorno per il cielo / un cigno / impazzito / scoteva piume d'oro:] / [s]i levarono alate di tormenta
3-4 slitta: / poi | slitta [.] / [P]oi
7-9 abeti. / Allora / accordi tenui | abeti – [a]llora accordi tenui
10 cori sommessi infranti, oltre le creste| [cori sommessi, / gli echi infranti] oltre i laghi, oltre le creste → [echi] sommessi / [frantumati oltre i laghi], oltre le creste

A EMILIO COMICI
Nota guida alpina, morto nell'ottobre 1940 durante un'esercitazione sui Roccioni di Valle Lunga, nei pressi di Selva Gardena.
11 delle ragazze, i remi? | delle ragazze, / i remi? // [Vai su nudo / per la tua roccia / come il Signore sulla croce: porti / la tua divina umanità nel petto / come un cespo / di fiori di sangue. / Tu solo / salvi tutti coloro che non salgono. / Dove hai lasciato il tuo peso, / la terra?]
25-26 alla tua fune / gelida avvolto – | alla tua fune gelida avvolto –
27 ed il tuo duro cuore | ed il tuo / [libero cuore] → ed il tuo [p]uro cuore
28 tra le pallide guglie. | tra le [guglie} pallide. → tra le pallide / guglie.

RIFUGIO
16 fra strapiombi | tra strapiombi
30 strapperanno | [stacch]eranno

PERIFERIA
3 due sigarette spente in una pozza. / [ora rialbeggia / la campagna nevosa oltre la siepe.]

PORTOFINO
4 i bambini: a tonfi percossa | i bambini. / [A] tonfi percossa
7 la roccia, in anelli di vertigine. | la roccia, / in anelli di vertigine.

MAGGIO DESIDERIO DI MORTE
3 salva il riso d'azzurri fiori. | salva il riso / [delle genziane impallidite.] → salva il riso / d'azzurri fiori.
6 nel [tenero] muschio
8 dà al [mio] peso
9 [estrema] eternità primaverile.

FINE
Si trova solo in F, dove, sopra il titolo autografo ne è apposto un altro, con grafia del padre di A.P., *Imbarco*, adottato in M. In Q è copiata dal padre di A.P., con due titoli alternativi: *Mare*, subito cassato, e *Imbarco*.
4 E m'imbarca | [Onda, or vengo:]
M 4 m'imbarco

IN CAMPAGNE DI VENTO
In F2; F1 contiene solo un abbozzo dei vv. 4-7.
4-5 Or sulle mani / mi respiri tu | F1 E mi respiri sulle mani tu
7 lenta fatica d'amore. | F1 lento lavoro d'amore. → F2 lent[o lavoro] d'amore.

VIAGGIO AL NORD
7 alle folate di tormenta, l'albero | alle folate di tormenta [e l'albero]

PERIFERIA IN APRILE
Periferia [in aprile] → [Una presenza]

BRUGHIERA
15 a quando a quando il rombo | a quando a quando [l'eco / di un galoppo, il rimbombo]
24-25 acciaio splendido, / all'ombroso | acciaio splendido, / [al subito]
26 dei cavalli, al pavido | dei cavalli, [al tremante]

28 [E] Indugiano
38 trova lieve il vento| trova [l'alto] vento
M 35 è densa furia d'acqua senza creste, / nel grembo

SETE
Il testo è barrato con tratti di matita.

L'AVA
5 ed ascoltiamo | e [noveriamo]
8 A riva di neri laghi | A riva / di neri laghi
10 quest'occhio da te sola fatto azzurro; | da te sola quest'occhio [che mi fai / azzurro;]
11 così premendomi al tuo grembo [,]
12-13 e chiusa nel tuo alvo / profondo, una divengo | e chiusa / nel tuo alvo profondo, una divengo
14 peso mortale | peso [terrestre]
15 non ci stacchi più la terra – | non ci stacchi / più la terra –
16 ma ad entrambe si faccia buia e lieve. | ma ad entrambe si faccia / buia e lieve.

SONNO E RISVEGLIO SULLA TERRA
8 poi sparivi | [or] spari [sci]

AMOR FATI
6 orridi silenzi | F golfi di silenzio → Q [golfi] di silenzi [o]

BAMBINO MORENTE
12 ora | [ma]

MESSAGGIO
Si trova autografa in F1 e F2, datata rispettivamente 21 e 22 giugno 1937; in Q è trascritta dal padre di A.P. da F2
F1 unica strofe con le varianti:
8 brillerai | [per sempre] brillerai
9 parlando ai vivi della mia morte | [e parlerai ai vivi] / della mia morte.
Grida | F2 [urla]

NOTTE
Si trova autografa solo in F, non datata. In Q è trascritta dal padre di A.P., che l'ha datata con l'interrogativo.
3 questa faccia distolta dal sole, la campagna | questa faccia distolta dal sole, / [questa campagna]

4 profondata negli oceani | [negli oceani ciechi.] → [nei ciechi mari.] → [nei mari ciechi.] negli oceani [senza lume]
5-6 Per un varco di nubi ancor balena / in poche stelle la vita lasciata | [Per] varchi di [lacere] nubi [ci balena] / [di poche stelle] la vita [lasciata:] → [Ancor balena] per un varco di nubi [in poche stelle] / la vita [abbandonata]: → Per un varco di nubi / [ancor balena di] poche stelle la vita lasciata:
7 piombano le ciglia | piombano le [palpebre]
8-9 e suda fresco umore / sulla bocca dei cani muti | [e in] freddo umore / cade la febbre del meriggio: lento / s'infossa l'urlo del cane prigioniero. → [stillando] [e stilla] fresco umore / [cade la febbre del meriggio: e lento / s'infossa l'urlo del cane prigioniero.] → e suda fresco umore / nell'[arsa]gola dei cani diurni. → [nella gola dei cani diurni.]

I MORTI
A Pasturo la cresta del monte in faccia al cimitero somiglia, nella fantasia dei paesani, al profilo di un bambino che dorme.

LE MONTAGNE
9 Ora a | Or ad
14 vasti | [grandi]
15-16 dell'attesa / nasca | dell'attesa [fiorisca]
17 fiorisca rosai. | fiorisca [no] rosai.

VOCE DI DONNA
3 divelgon | divelgon[o]
11 sul cuore: sul cuore, / [come una fiamma o come una bandiera / mi protendo alla via dei tuoi ritorni.]
14 cose, | cose [:]
16 ti avvolgi intorno al petto | ti [stringi contro il]

MORTE DI UNA STAGIONE
10 le specchiavano sulla terra | [ci] specchiavan [nel silenzio] → le specchiavano sulla [muta] terra

LA TERRA
5-7 le barche sono quelle adriatiche che i pescatori dipingono a ghirlande di fiori.
9-10 i «volti di santi» sono gli affreschi rustici delle case di Pasturo.
11 il «vecchio gobbo»: un mendicante indovino che si vedeva talvolta a Pasturo.
14-20 accennano alla guerra di Spagna; la fioritura del bambù è considerata un presagio infausto.
M vv. 1 e 22 a' tuoi orli
tra i vv. 10 e 11 è cassata la spaziatura.

CAPODANNO
M *Frammento*
In Q la seconda strofe è contornata da un segno di matita ed è cassata i
M.
2 canti –| F canti:
3 stelle | F stelle –
4 che non potrò mai dire... | F [che non potrò mai dire.] → [chi no
potrebbe mai dire?] → [chi mai le potrebbe dire?] → io non [saprò
[mai] dirle. → [io] non potrò [dirle mai.] Q che non [saprò] mai dire...
5-6 Volti immoti s'intrecciano fra i rami / nel mio turchino nero: |
Volti immoti / s'intrecciano [nei] rami / [ed in] turchino nero [entro m
vivono]: → Volti immoti s'intrecciano fra i rami / nel mio turchino ner
[vivendo]: → S'intrecciano fra i rami / nel mio turchino nero vol
immoti:
7 osano ancora, | F [che] ancor[a] sperano, eterni, / [in gelo mut
d'acque] → [ed ancor sperano, eterni, in gelo muto d'acque.]
8-9 morti ai lumi di case lontane, / l'indistrutto sorriso dei mie anni. |
morti ai lumi di case lontane, [sorridono,] → l'indistrutto sorriso [de
miei] anni. → l'indistrutto sorriso degli anni.

CERTEZZA
5 ed ora piego | ed ora [mi] piego
M e ora mi piego

PERIFERIA
In *Pozzi e Sereni...*, cit.
17 Nel tramonto | [e n]el tramonto
18 ululano per il cupo avvio dei treni | ulula[re] [pel] cupo avvio d[i
treni

LUCI LIBERE
8 e vi crollano | e vi [scompigliano]
11 correremmo nel vento gli stradali | correremmo [tra il] vento gl
stradali

PAN
3 e c'era | [e] c'era
5 Poi venne | Poi [c'era]

MATTINO
Si trova in 2F, di cui F1 è la prima stesura.
In Q è copiata dal padre di A.P., ma il titolo è autografo; a esso
anteposto, tra parentesi e a matita, da altro mano, il titolo *Pan*, adottat
in *M*.

PER EMILIO COMICI

Il testo è autografo in F1, F2, F3; F1 contiene la prima stesura e porta il titolo autografo *Il rocciatore*, barrato; F2 riporta la seconda redazione, senza titolo e datata «Misurina, 7 agosto 1938»; F3 è la stesura definitiva, con il titolo sostituito e datata: sera d'agosto 1938. In F3, sotto il titolo autografo, il padre di A.P. ha scritto «Il rocciatore», così anche in Q, dove ha riportato tutto il testo da F3.
M «Il rocciatore»
1 stupore | F1 F2 F3 [tristezza]
2 di sera | F1 [a sera]
3 fra lumi e suoni | F1 [quando brillano lampade e risate / fra [i]sussulti [musicali] dei corpi: → [quando brillano lampade e risate / fra i musicali sussulti dei corpi:] → tra lumi e suoni [:]:
4 s'aprono | F1 [e] s'apron[o] → [e] s'aprono
6 della gran cima coronata di nuvole... | F1 della cima [grande] coronata di nuvole – → F2 della gran cima coronata di nuvole,
7 Il tuo sangue che sogna le pietre | F1 [il] tuo sangue [che] sogna le pietre → [Il] tuo sangue che [ri]sogna le pietre → e il tuo sangue → F2 [e il] Il tuo sangue
8-9 è nella stanza / un favoloso silenzio. | è [un] favoloso silenzio. F2 silenzio. – –

SERVIRE

Solo in F, scritta a matita e non datata.
Servire | [Le domest]
2 portano nei cortili | nei cortili [portano] → [gridano aspre]
3 aspri canti di fieno | [le] can[zoni] d[el]fieno [e delle stelle]
4 Poi nel buio | [A sera]
5 mani rosse aggrappate al davanzale | [sporte le] mani rosse al davanzale → mani rosse [sporte] al davanzale
6 spargono in un sussurro | [sussurrano segrete]
7-8 i peccati / della domenica. | i peccati della domenica.

ABBANDONATI IN BRACCIO AL BUIO

Sullo stesso F di "Servire", senza titolo e non datata.
2-3 monti / m'insegnante l'attesa: | [m'insegnino l'attesa i miei monti] → monti / insegnate[mi la paziente] attesa:
4-5 all'alba – chiese / diverranno i miei boschi. | [e chiese divengano i boschi:]
6 Arderò – cero sui fiori d'autunno | [Cero m'accenderò / tra sui] sui fiori d'autunno
7 tramortita nel sole. | tramortita [di] sole. → [e mi] tramorti[rà il] sole.

LA VITA SOGNATA

LA VITA SOGNATA
F *Il sogno*: Il titolo di Q è apposto a matita da L. Bozzi.
M vi sono cassati i vv. 8-10 e 25.
13 se guardavano in alto

L'ALLODOLA
1-3 Dopo il bacio – dall'ombra degli olmi / sulla strada uscivamo / per ritornare: | [Tornavamo dai prati / dove ci eravamo baciati:] [baciati:]
4 sorridevamo al domani | ridevamo al domani
13 santo | [S]anto
24 la serenità | [la serenità] → [la profondità serena – → [il] seren[o]
1 Le parole «Dopo il bacio» sono cancellate con le consuete spirali in Q, dove è corretta anche la lettera iniziale della parola successiva; sono invece conservate in due F. In M sono cassate.

LA GIOIA
M La prima strofe è unita alla seconda strofe ed è così modificata: Domandavo a occhi chiusi: / – che sarò dunque domani?

INIZIO DELLA MORTE
3 mi fosti grato: dicevi che era | mi fosti grato: / dicevi che era
17 e tu sei entrata | e [ora] tu sei entrata

SARESTI STATO
M Tutta la seconda strofe è cassata. Al primo verso «Annunzio» è corretto in «Annuncio».
La poesia continua, dopo un asterisco, con l'aggiunta dei tre versi finali di *Inizio della morte*, non edita in M insieme a *Voto*.

IL BIMBO NEL VIALE
È l'unica poesia della sezione che non si trova tra i foglietti della raccolta; di essa, oltre a Q, si ha la prima tormentata stesura su un foglio non datato.

INEDITI

PRIMIZIE DI STAGIONE
I vv. 6-12 sono barrati con un lieve tratto di matita.

CADENZA ESASPERATA
Titolo barrato.

9 stimolati | [stuzzicati]
15 la visione di me stessa | la visione [che] di me stessa

PRESENTIMENTI DI AZZURRO
6 nuvole | [nubi]
8 l'une sull'altre, strette; l[e] une [sopra l[e] altre, strette;
12 bel volo | [buon salto]
21 palpeggiandomi guardinga e gelosa | palpeggiando [con lentezza] gelosa
22 l'anima rugiadosa. | l'anima [rinnovata / di purezza] rugiadosa. l'anima [mia] rugiadosa.

MUFFE SOTTO VETRO
11 e ornamenti | e[d] ornamenti
21 aspetta [ha atteso]
36 sentimentalità | [di] sentimentalità
37 adorazioni insensate | [di] adorazioni insensate
44 con estatica idolatria | con estatica idolatria [baggiana]
45 dall'umana idiozia. | dall[a scemenza] umana.

LA STAZIONCINA DI TORRE ANNUNZIATA
4-6 che schizzavano dentro l'atrio grigio / dagli sbadigli bianchi delle porte / aperte sulla piazza e sui binari. [che schizzavano dentro] l'atrio grigio, / [dagli sbadigli bianchi delle porte] / aperte sulla piazza e sui binari. → [traverso l'atrio grigio, una contesa / di passi, un rimbalzare d'andature / fra i due sbadigli bianchi delle porte,]
20-21 che si sprigionano dai pioppi, in maggio, | che i fiori d'ippocastano sprigionano / in primavera, sospirando all'alto.] → che sprigionano i pioppi in [primavera] / [con dei sospiri indirizzati all'alto.]
21 e cercan l'alto come delle preci | [e sembran delle preci o] dei sospiri. → [e cercan l'alto come] dei sospiri. → [e sembran dei sospiri o] delle preci. → e cercan l'alto [come delle preci,] e cercan l'alto [al pari di una] prec[e.]

BAMBINERIE IN TINTA CHIARA
Ripristinata la dedica.
26 sereni | [tranquilli]

LA CAMPANA SOMMERSA
Titolo barrato.

MINACCE DI TEMPORALE
Titolo e testo barrati.

3 l'acquoso cielo | [la garza del]
4 inaffiare | [umettare]

SCAMPAGNATA
24 anch'essi se n'andranno, | [essi se ne andranno] → anch'ess
[s'avvieranno]

SOLITUDINE
Titolo e testo barrati. Gli ultimi cinque vv. sono cassati con le consuet
spirali.
Ripristinata la dedica
16 No | [Ma] no
17 corpo. Non m'accorgo | corpo [, e n]on m'accorgo
19 io sto baciando | [io] sto baciando [mi]
20 la pelle tesa delle mie ginocchia.| → la pelle [lustra e] tesa [delle mie]
ginocchi[a] → la pelle [lustra e] tesa [dei] ginocchi.
15 e anch'io dormire, infine...| [e add]orm[entarmi], infine...

IO, BAMBINA SOLA
15 che m'accennano | [e ad accennare] → [accennanti]

LAMPI
5 e lo fa duro e lucente | e lo fa [più] duro e lucente
6 come una lama d'acciaio. | [di] una lama d'acciaio.

FEBBRE
6 maturo | In Q è cassato e sostituito con «pesante», forse da manc
estranea.
10 rosa | ros[eo]

ULTIMO CREPUSCOLO
3-4 sudato /– due paranze | sudato[.] / Due paranze

CANTO DELLA MIA NUDITÀ
In *A. Pozzi. Autoritratto da adolescente*, "Arte estetica", Milano
dicembre '98. Tutto il testo è prima barrato e poi cassato con le consuet
spirali; la sua assenza in F e in LB fa supporre un ripudio dell'autrice.

COPIATURA
Ripristinata la dedica.
7-9 Come un'avvinazzata corolla di papavero / – a ricordo di un idillio d
viaggio – fra le pagine di una guida turistica. | come fra le pagine di una
guida turistica / [un petalo avvinazzato di papavero] / a ricordo di un

dillio di viaggio – → [come] fra le pagine di una guida turistica / – a icordo di un idillio di viaggio –/ un'avvinazzata corolla di papavero.

GIORNI IN COLLANA
[Giorni in collana] → [Collane]
Ripristina la dedica.
1 erano | eran[o] → [eran]
3 infilati | [rifiniti]
11 fra noi | [t]ra noi
12 scure | [verdi]
15 già snidava | [ebbe schiuso]
19 grigi vezzi di lacrime | [perle fredde di pianto]

LE MANI SULLE PIAGHE
Ripristinata la dedica.

CAPRICCIO DI UNA NOTTE BURRASCOSA
Titolo e testo barrati.
16 Tuona. Sulle vette è tempesta. | Sulle vette è tempesta. / [Tuona.] Non ho paura.

L'ORA DI GRAZIA
21 raggio di stelle | [goccia] di stelle

INEZIE
Titolo e testo barrati.
25-26 pietose / se m'impediscono | [e benedette siano] / se m'impediscono

ABBOZZO
Si mantiene l'iniziale minuscola come in Q.
23 lo splendore | [quanto] lo splendore

L'OPERAIO DELLE LUCI
Solo in F, a matita, ancora abbozzo.
1 E sempre | [Ogni sera]
2 A volte | [Certe] volte
4-5 si gonfia – accanto / alle mie mani. | si gonfia [acca] alle mie mani, al mio viso / [accanto]
6 Quando è stretta la scena | Ma la scena [è stretta] → [Ma] quando è [piccola] la scena
8 la tela allora va distante: | la tela [allora] allora va distante [più metri:]
9-10 c'è aria / qui intorno al mio quadrante | c'è aria [vuota qui intorno,] / [qui] qui intorno al mio quadrante

13 dall'orlo | da [una piega]
15-16 come pani crudi / in attesa nel forno di velluto / in attesa [com
come pani crudi / nel forno di velluto [rosso].
17 Stanotte dovrò spegnere le luci | [Mi tocca stavolta] Questa notte
[mi toccherà] spegnere le luci → [Questa notte] / dovrò spegnere le lu
19 arrossiranno | [e sbiancheranno]
20 laggiù le facce smunte, | [quelle] facce [già] smunte,
21 sole in mezzo al frastuono | sole [là] [ne]l frastuono
23 di quel che non s'avvera. | di [ciò] che [qui] non s'avvera.
24-26 Mi passerà vicina, calda, bianca, / abbrividendo con le spalle nud
/ all'aria dei ventilatori: | Lei passerà [accaldata] / [un po' tremando
[nude] le spalle / [all'aria fredda] dei ventilatori: → [Lei] passerà [cald
un po' tremando] / con le spalle nude [all'aria] / dei ventilatori:
27-28 credo / che sarà verde stasera la sua veste. | credo che sarà verde l
sua veste.
Seguono dei versi ripudiati:
[E resterà un odore forte.
Mi dispiace
questo strappo nella mia vecchia blusa:
a casa, certo,
la moglie me lo cucirà.]

BIBLIOGRAFIA

Opere di Antonia Pozzi

Parole, Mondadori, Milano, 1939 (1ª edizione privata, 91 poesie); 1943 (2ª ed., 157 poesie); 1948 (3ª ed., 159 poesie); 1964 (4ª ed., 176 poesie).
Poesie pasturesi, Arte grafica Valsecchi, Lecco s.d. (ma 1954).
«Lettere a Tullio Gadenz», (in data 11 gennaio 1933; 29 gennaio 1933; 28 ottobre 1933; 8 maggio 1934) in *Parole* (2ª ed.).
Eyeless in Gaza (saggio su Huxley), in «Corrente di Vita Giovanile», a. I, n. 9, 31 maggio 1938.
Flaubert. La formazione letteraria (1830-1856), con una premessa di Antonio Banfi, Garzanti, Milano, 1940.
La Vita Sognata e altre poesie inedite, a cura di Alessandra Cenni e Onorina Dino, Scheiwiller, Milano, 1986.
Diari, a cura di A. Cenni e O. Dino, Scheiwiller, Milano, 1988.
L'età delle parole è finita. Lettere (1925-1938), a cura di A. Cenni e O. Dino, Archinto, Milano, 1989.
Parole, a cura di A. Cenni e O. Dino, Garzanti, Milano, 1989.
Pozzi e Sereni. La giovinezza che non trova scampo, a cura di A. Cenni, Scheiwiller, Milano, 1995.
Mentre tu dormi le stagioni passano, a cura di A. Cenni e O. Dino, Viennepierre, Milano, 1998.

Traduzioni di Parole

Cuvinte, scelta antologica in lingua rumena a cura di Mihail Chirnoaga, ed. Frize, Bucarest, 1941.
Der Weg, versione in lingua tedesca a cura di H. Benrath, Sonderausgabe, 1943.
Worte, scelta antologica a cura di E.W. Junker, ed. Weka-Verlag Trossingen, Württemberg, 1948.

Tag für Tag, Errante zum bleibenden Gedächtnis, a cura di E.W. Junker, Wien, 1952.
Poems, by A. Pozzi, versione inglese con testo italiano a fronte, a cura di N. Wydenbruck, ed. J. Calder, London, 1955.
Treinta poemas, versión y prólogo de M. Roldán, ed. Rialp S.A., Madrid, 1961.
Antologia poetica, texto bilingue, versión de M. Roldán, ed. Plaza & Janes, Barcelona, 1973.

Bibliografia

R. JACOBBI, *Libri di Poesia*, in «Circoli», n. II, VIII, Roma, 1939.

A. LANOCITA, *Ritratto di una poetessa di ventisei anni*, in «Corriere della Sera», n. 179, XVII, Milano, 1939.

E. PACI, *Parole di Antonia Pozzi*, in «Corrente», n. 13, II, Milano, 1939.

P.A. PICCOLI, *Libri Nuovi. Poetesse*, in «Il Popolo d'Italia» n. 208, XX-VI, Milano, 1939.

G. SOMMI PICENARDI, *Per una poetessa morta*, in «Il Regime fascista», n. 171, XXV, Milano, 1939.

S. ROSATI, *Antonia Pozzi. Parole*, in «L'Italia che scrive», n. 7, XXII, Roma, 1939.

ROSCELLINO, *Parole*, in «Il lavoro», n. 208, XXXVII, Genova, 1939.

G.G. SEVERI, *Cronache di poesia*, in «L'Ambrosiano», n. 165, XVIII, Milano, 1939.

R. CALZINI, *Una giovane poetessa*, in «La Stampa», n. 299, 74, Torino, 14 dicembre 1940.

A. BANFI, premessa a: A. Pozzi, *Flaubert. La formazione letteraria*, Garzanti, Milano, 1940.

A. BARILE, *Parole di Antonia Pozzi*, in «Liguria», n. I, IX, Genova, 1940.

M. CHIRNOAGA, *Antonia Pozzi*, in «Mesterul Manole», n. 8-9, II, Libraria Pavel Suru, Bucarest, 1940.

E. MASTROLONARDO, *"Parole" di Antonia Pozzi*, in «Il Meridiano di Roma», n. 13, V, Roma, 1940.

B. TIBILETTI, *A. Pozzi. Flaubert. La formazione letteraria*, in «Rassegna di lingue e letterature» n. I, XIX, Bari, settembre 1941.

N. ZOIA, *Il saggio di Antonia Pozzi sulla formazione letteraria di Flaubert*, in «L'Illustrazione Italiana», n. 46, LXVII, Milano, 1940.

T. GADENZ, *Antonia, poetessa della montagna*, in «Lecco», rivista di cultura e turismo, n. 5-6 (numero monografico dedicato ad Antonia Pozzi), Lecco, settembre-dicembre 1941.

F. PICCO, *A. Pozzi. Flaubert. la formazione letteraria*, in «L'Italia che scrive», n. 7-8, XXIV, Roma, 1941.

D. SETTI, *La poesia di Antonia Pozzi*, in «Lecco», cit.

H. BENRATH, prefazione a: A. Pozzi, *Der Weg*, traduzione tedesca di *Parole* curata dallo stesso, Sonderausgabe, 1943.

G. VIGORELLI, *Ricordo di Antonia Pozzi*, in «Tempo», n. 218, VII, Milano 1943.
N. FABBRETTI, *Parole per Antonia*, in «Il Gallo», n. 4, I, Genova, 1946.
E. WIEGAND JUNKER, prefazione a: A. Pozzi, *Worte*, traduzione tedesca di *Parole*, curata dallo stesso, Weka-Verlag, Trossingen, Württemberg, 1948.
A. RIGONI, *Versi di cronaca e di poesia*, in «L'Osservatore romano», 21 gennaio 1949.
V. ERRANTE, *Lettura di "Parole" di Antonia Pozzi*, manoscritto inedito, Milano, 2 febbraio 1949.
U. MARVARDI, *Lirica e parole*, in «Idea», 1949.
G. ARCANGELI, *Antonia Pozzi. Parole*, in «La Rassegna d'Italia», n. 4, IV, Gentile, Milano, 1949.
N. BERTHER, *"Parole" di Antonia Pozzi*, in «Humanitas», n. 6, IV, Morcelliana, Brescia, 1949.
G. GLAUCO CAMBON, *All'insegna della felicità delle lettere*, in «Saggi di umanismo cristiano», n. 2, IV, Pavia, 1949.
P. CHIARA, *Osservatorio delle lettere*, in «L'Italia», n. 41, XXXVIII, Milano, 1949.
M. MORINI, *Ricordo di Antonia Pozzi*, in «Corriere degli artisti», n. 4, IV, Milano, 1949.
A. PARRONCHI, *Parole che restano*, in «Corriere della Provincia», n. 4, I, Como, 1949.
G. SPAGNOLETTI, *Due giovani poeti scomparsi*, in «La Fiera Letteraria», n. 7, IV, Roma, 1949.
B. TIBILETTI, *"Worte" di A. Pozzi*, in «Il Ragguaglio Librario», n. 1.
F. RIVA, *Umiltà e idillio*, in «L'Arena», Verona, 3 ottobre 1950.
M. AFFATATI, *Fede in Antonia Pozzi*, in «Corriere Tridentino», 8 novembre 1950.
C. CELPKE, *Lettera sulla poetessa italiana Antonia Pozzi*, in «Castrum Peregrini», XVIII, Amsterdam, 1952.
B. MATTEUCCI, *A. Pozzi*, in «Antologia della Poesia religiosa italiana contemporanea», a cura di V. Volpini, Vallecchi, Firenze, 1952.
L. AMELOTTI, *Antonia Pozzi nella sua poesia*, L'Arca, Rapallo, 1953.
G. CAMBON, *Antonia Pozzi, "Parole", "Tag für Tag"*, in «Il Pensiero Critico», n. 7-8, II, Milano, 1953.
N. FABRO, *Schiettezza di Antonia*, in «Il Gallo», n. 5, VII, Genova, 1953.
A. FRATTINI, *Vocazione di Antonia Pozzi*, in «Poeti Italiani del Novecento», Accademia di Studi «Cielo d'Alcamo», 1953.
D. PORZIO, *Un angelo le sostò accanto*, in «Oggi», n. 15, IX, Milano, 1953.
B. TECCHI, *Letteratura tedesca*, in «L'Approdo», n. 2, II, Rai, aprile-giugno 1953.
C. DEL TEGLIO, *L'opera prostuma di Antonia Pozzi poetessa d'Italia*, in «Lecco», cit., n. 1, XIII, Lecco, 1954.

M. MARCAZZAN, *Sul diario poetico di Antonia Pozzi*, in «Humanitas», n. 9, XI, Morcelliana, Brescia, 1956.
M.L. SPAZIANI, *Antonia Pozzi*, in «Piccola Antologia Poetica», rubrica radiofonica, Rai, 30 marzo 1957.
V. FAGGI, *Destino di poeti*, in «Il giornale di Brescia», 9 ottobre 1957.
L. FIUMI, *L'importanza di A. Pozzi*, in «Graalismo», n. 4, II, Bari, 1959.
L. KOECHLIN, *Mi encuentro con Antonia Pozzi*, in «Mujeres en la Isla», n. 60, 2ª epoca, Las Palmas de Gran Canaria, 1959.
G. SALVO, *Parole di un diario*, in «Caffaro», Genova, 8 agosto 1963.
A. BINDA, *"Parole" di Antonia Pozzi*, dattiloscritto inedito, Milano.
E. MONTALE, prefazione a: A. Pozzi, *Parole*, Mondadori, Milano, 1964.
A. ROSSI, *Letteratura italiana*, in «L'Approdo letterario», gennaio-marzo 1965.
C. GABANIZZA, *"Parole" di Antonia Pozzi*, in «L'Italia che scrive», maggio-giugno 1965.
A. PIROMALLI, *Rassegna di poesia*, in «Idea», giugno 1965.
S. RAMAT, *Le Parole di Antonia Pozzi*, in «La Nazione»,, Firenze, 13 luglio 1965.
G. TEDESCHI, *Quando la poesia diventa vita*, in «Il Popolo» 19 agosto 1966.
G. MANACORDA, *A. Pozzi*, in «Storia della letteratura italiana contemporanea», Editori Riuniti, Roma, 1967.
R. GIANFRANCESCO, *Antonia Pozzi. Testimonianza di una ricerca religiosa*, in «L'Inquietudine spirituale nel mondo contemporaneo», Centro di Orientamento educativo, Barzio, 1969.
G. GUIDORIZZI TASINATO, *Le Parole di A. Pozzi*, in «Il Cittadino», 9 gennaio 1970.
B. BINDA DE SARTORIO, *Antonia Pozzi*, in «La Poesia Contemporanea en Italia», Universitad Catholica Andres Bello, Institutos Humanisticos de Investigaçion, Caracas, 1972.
M. ROLDAN, prefazione a: A. Pozzi, *Antologia poetica*, versione in lingua spagnola curata dallo stesso, ed. Plaza Janes, Barcelona, 1973;
O. DINO, *Antonia Pozzi. Un'anima e una poesia* (Tesi di laurea, Istituto Universitario Parificato di Magistero Maria SS. Assunta, Roma, 1974).
S. RAFFO, *Guida alla lettura della poesia italiana contemporanea*, Bonacci, Roma, 1977.
A.M. ZANETTI, *"... questa curiosa cosa che sono io"*, in «Effe», dicembre 1978.
R. LOVASCIO, *Antonia Pozzi. Il naufragio dell'essere*, Interventi Culturali, Bari, 1980.
G. LAGORIO, *Antonia Pozzi e la sua ghirlanda*, in «La Nazione», Firenze, 3 dicembre 1980.
D. PUCCINI, *Antonia Pozzi*, in «Poesia Italiana. Il Novecento», vol. II, Garzanti, Milano, 1980.

A. CORSARO, *Pozzi Antonia*, in «Dizionario della letteratura mondiale del '900», Edizioni Paoline, Roma, 1980.
M. BIONDI, *Antonia Pozzi*, in G. Luti, *Poeti Italiani del Novecento...*, La Nuova Italia, Roma, 1985.
D. ASTENGO, *Antonia Pozzi*, in «Resine», Quaderni liguri di cultura, ottobre-dicembre 1986.
G. BERNABÒ, *La vita sognata*, in «Uomini e libri», n. 115, settembre-ottobre 1987.
G. BERNABÒ, *Quella vita di poesia*, in «Noi Donne», dicembre 1987.
D. PUCCINI, *La purezza di Antonia Pozzi*, in «L'Albero», n. 73-74, pp. 286-287, 1985 [ma 1988].
S. CRESPI, *Versi e sogni sempre aperti su aristocratiche ferite*, in «Il Sole-24 Ore», Milano, 2 dicembre 1988.
A. ANEDDA, *Diario di un approdo solitario. Continua la lunga scalata di Antonia Pozzi alle parole che diventano poesia*, in «Il manifesto», Roma, 29 marzo 1989.
A. BENINI, *Nei suoi occhi si spalancavano laghi di stupore*, in «Il Giornale di Lecco», Lecco, 27 febbraio 1989.
G. BERNABÒ, *Antonia Pozzi: Diari*, in «Uomini e libri», Milano, gennaio-marzo 1989.
G. BERNABÒ, *Antonia Pozzi. Poesie e lettere*, in «Uomini e libri», Milano, aprile-giugno 1989.
D. BISUTTI, *C'è tanta energia nell'io lirico di Antonia Pozzi*, in «Millelibri», n. 18, Milano, maggio 1989.
D. BORIONI, *I tre amori infelici di Antonia Pozzi*, in «Gazzetta di Parma», Parma, 15 giugno 1989.
G. COLOMBO, *Antonia Pozzi svelata con la sua vera indole*, in «La Provincia», Como, 22 febbraio 1989.
G. CONTE, *Ha messo in versi la sua ombra*, in «La repubblica-Mercurio», Roma, 18 marzo 1989.
S. CRESPI, *La totalità assente nascosta nelle parole*, in «Il Sole-24 Ore», Milano, 26 febbraio 1989.
S. CRESPI, *Il vissuto delle parole*, in «Il Sole-24 Ore», Milano, 12 marzo 1989.
S. CRESPI, *La parola sospinta nell'incanto*, in «Il Sole-24 Ore», Milano, 31 dicembre 1989.
V. FAGGI, *Quel "grido" di donna*, in «Secolo XIX», Genova, 15 marzo 1989.
N. FUSINI, *Antonia Pozzi. La resa segreta*, in «Leggere», n. 8, Milano, febbraio 1989.
F.L. GALATI, *Raccolta poetica di Antonia Pozzi. "Ridammi una stilla di te"*, in «L'Osservatore Romano», Roma, 19 agosto 1989.
G. GALETTO, *La poesia ha le sue parole*, in «L'Arena», Verona, 30 marzo 1989.

G. GARLATO, *Antonia Pozzi*, in «Il cristallo», Centro di Cultura dell'Alto Adige, Bolzano, agosto 1989.
M. GERRATANA, *Poesia di Antonia Pozzi. Lungo viaggio verso il nulla*, in «Giornale di Sicilia», Palermo, 28 marzo 1989.
G. GIULIETTI, *La vita e il canto, l'ultima tappa...*, in «Il Tirreno», Livorno, 28 maggio 1989.
G. IOLI, *"... ed io stoto in riva alla vita"*, in «Il nostro tempo», 30 aprile 1989.
G. LAGORIO, *La ghirlanda di Antonia*, in «l'Unità», Milano, 1° marzo 1989.
G. LAGORIO, *Donne d'epoca*, in «Società Civile», Milano, maggio 1989.
F. MANNONI, *Il grido sublime di un'anima ferita*, in «Il Secolo d'Italia», Roma, 22 aprile 1989.
A. MAZZARELLA, *Testimone di luce*, in «Il Mattino», Napoli, 13 maggio 1989.
N. ORENGO, *La vita sognata di Antonia Pozzi si riscopre negli Anni '30*, in «La Stampa - Tuttolibri», Torino, 28 gennaio 1989.
G. PANDINI, *Cercando nelle parole il segreto delle cose*, in «Giornale di Brescia», Brescia, 6 maggio 1989.
F. PANZERI, *La poetessa che amava la montagna*, in «Gran Milan», Milano, maggio 1989.
G. PANZERI, *Antonia Pozzi una voce ritrovata*, in «L'Esagono», giugno 1989.
S. PAUTASSO, *Una donna sconfitta*, in «Il nostro tempo», 30 aprile 1989.
S. PAUTASSO, *Il caso Antonia Pozzi nella letteratura novecentesca*, in «Lettere dall'Italia», Istituto della Enciclopedia Italiana, Roma, aprile-giugno 1989.
D. PUCCINI, *Antonia Pozzi tra poesia e vita*, in «Resine», ed. Sabatelli, Savona, aprile-giugno 1989.
E. RASY, *Antonia, silenzio e ritorno*, in «Panorama» Milano, 26 febbraio 1989.
M. SANTAGOSTINO, *Parole di Antonia Pozzi*, in «Poesia», ed. Crocetti Milano, aprile 1989.
M. SIGNORI, *Antonia Pozzi, voce poetica che riscatta un destino*, in «La Provincia», Cremona, 16 novembre 1989.
G. TEDESCHI, *Se la poesia non basta alla vita*, in «Il Popolo», Roma, 25 aprile 1989.
G. VIGORELLI, *Antonia Pozzi. Le parole segrete che mi confidava*, in «La Stampa-Tuttolibri», Torino, 12 febbraio 1989.
D. BORIONI, *Il peso della vita*, in «Quotidiano di Lecce», Lecce, 18 ottobre 1990.
S. CRESPI, *E quell'ultimo tumulto porterà con sè la pace*, in «Il Sole-24 Ore», Milano, 4 marzo 1990.
C. MAFFI, *Antonia Pozzi e "l'anima delle cose"*, in «Il Borghese», Milano, 5 agosto 1990.

F. PAPI, *Vita e filosofia. La Scuola di Milano: Banfi, Cantoni, Paci, Preti*, Guerini e Associati, Milano 1990.

B. PICCIN, *Una vita letta con gli occhi del sogno*, in «La Gazzetta di Firenze», Firenze, 9 maggio 1990.

C. ANNONI, *Chiarismo e linea lombarda: Parole di Antonia Pozzi*, in «Capitoli sul novecento», Vita e Pensiero, Milano, 1990.

E. ANDRIUOLI, *Antonia Pozzi*, in «La Nuova Tribuna Letteraria», Abano Terme, febbraio 1991.

G. FERAZZA, *Da Chiaravalle il ricordo di Antonia Pozzi*, in «Il Melegnanese», Melegnano, 15-31 maggio 1991.

L. ORSENIGO, *La poesia religiosa di Antonia Pozzi*, in «Studi e Fonti di Storia Lombarda. Quaderni Milanesi», II, N.S., nn. 25-26, Milano 1991.

H. LEROY, *Un cas littéraire: Antonia Pozzi*, in «Novecento-Marginalités (Frontières, nations et minorités)», Cahiers du Cercic, n. 18, Grenoble 1994.

G. STRAZZERI, *Il ciclo fecondazione-produzione-morte nella poesia di Antonia Pozzi*, in «Acme - Annali della Facoltà di Lettere, Università degli Studi di Milano», VI, n. 48, maggio-agosto 1994.

H. LEROY, *Antonia Pozzi, une biographie intellectuelle*, in «Les femmes-Écrivains en Italie (1870-1920)», ordres et libertés, «Chroniques italiennes», nn. 39-40, Université de La Sorbonne, Paris, 1994.

G. DE MARCO, *Pretesti dall'invenzione. Dall'ultimo Montale a Primo Levi*, Giardini Editori e Stampatori in Pisa, Pisa, 1995.

A. CENNI, *Le ragioni della memoria*, in *Pozzi e Sereni. La giovinezza che non trova scampo*, Scheiwiller, Milano, 1995.

L. SCORRANO, *Memorietta su Antonia Pozzi*, in «Archivi di Lecco», XVIII, n. 2, ed. G. Stefanoni, Lecco, aprile-giugno 1995.

G. SANDRINI, *E di cantare non può più finire. L'idillio negato di Antonia Pozzi*, in «Atti dell'Istituto Veneto di Scienze, Lettere ed Arti», tomo CLIV, Venezia, 1995-1996.

A. BENINI, *Antonia Pozzi. Lettera [inedita] ad Antonio Banfi*, in «Archivi di Lecco», XIX, n. 1, ed. G. Stefanoni, Lecco, gennaio-marzo 1996.

D. FORMAGGIO, *Una vita più che vita in Antonia Pozzi*, in «La vita irrimediabile» a cura di G. Scaramuzza, Alinea, Firenze, 1997.

A. CENNI, *Antonia Pozzi, una storia lombarda*, in *Mentre tu dormi le stagioni passano*, Viennepierre, Milano, 1998.

O. DINO, *Naufragio nella luce*, in *Mentre tu dormi le stagioni passano*, Viennepierre, Milano, 1998.

A. CENNI, *A. Pozzi. Autoritratto da adolescente*, in «Arte estetica», in uscita al dicembre '98.

Indice alfabetico dei testi

Abbandonati in braccio al buio 313
Abbandono 228
abbozzo 368
Acqua alpina 118
a Emilio Comici 273
Afa 344
Africa 221
Ai fratelli 131
Alba 93
All'amato 170
Alpe 26
Altura 245
Ammonimento 162
Amore dell'acqua 135
Amore di lontananza 6
Amor fati 293
Annotta 213
Approdo 268
Assenza 241
Atene 220
Attacco 147
Attendamento 126

Bambinerie in tinta chiara 342
Bambino morente 294
Barche 144
Bellezza 201
Benedizione 27
Bontà inesausta 152
Brezza 255
Brughiera 286

Cadenza esasperata 337
Canto della mia nudità 355
Canto rassegnato 18
Canto selvaggio 16
Canzonetta 111
Capodanno 304
Capriccio di una notte burrascosa 360
Cencio 334
Certezza 305
Cervino 125
Cimitero di paese 164
Come albero d'ombra 280
Commiato 272
Confidare 207
Convegno 252
Copiatura 356
Cose 178
Così sia 102
Creatura 240
Crepuscolo 80

Da capo 354
Deserto 72
Desiderio di cose leggere 183
Disperazione 86
Distacco 7
Distacco dalle montagne 128
Dolomiti 22
Domani 49
«Don Chisciotte» 234
Dopo 254
Dopo la tormenta 230

Echi 217
Elegia 20
Errori 71
Esclusi 242

Esempi 56
Esilio 61
Evasione 214

Fantasia settembrina 28
Febbre 352
Fede 64
Fiabe 231
Filosofia 14
Fine 282
Fine di una domenica 291
Fiume 179
Flora alpina 17
Fuga 21, 244
Funerale senza tristezza 198
Fuochi di S. Antonio 216

Gelo 219
Giacere 11
Giardino chiuso 138
Gioia 73
Giorni in collana 357
Giorno dei morti 77
Gli eucalipti 114
Gli occhi del sogno 328
Grido 69
Grillo 256

I fiori 96
Il bimbo nel viale 327
Il cane sordo 145
Il cielo in me 173
Il daino 218
Il porto 98
Il sentiero 222
Il volto nuovo 123
I morti 297
I musaici di Messina 116
In campagne di vento 283
Incantesimi 265
Incredulità 187
Inezie 366
Infanzia 236
Inizio della morte 323
Innocenza 12
In riva alla vita 43
In sogno 148
Intemperie 249
In un cimitero di guerra 79
Inverno lungo 211
Io, bambina sola 350

La campana sommersa 345
La discesa 23
La disgrazia 58
La fornace 141
La gioia 321
Lago in calma 32
La grangia 136
Lagrime 15
L'allodola 320
Lamentazione 109
La morte bionda 172
Lampi 351
L'Ànapo 106
L'ancora 210
La notte inquieta 239
L'anticamera delle suore 67
La porta che si chiude 41
La rampa 246
Largo 34
L'armonica 157
La roccia 133
La sorgente 238
La stazioncina di Torre Annunziata 341
La terra 302
L'ava 290
La vita 258
La vita sognata 319
La voce 176
Le donne 262
Leggenda 259
Le mani 204
Le mani sulle piaghe 358
Le montagne 298
L'erica 25
Le strade 212

Le tue lacrime 208
Lieve offerta 203
Limiti 74
L'incubo 362
L'operaio delle luci 370
L'ora di grazia 365
L'orma del vento 45
Luce bianca 90
Luci libere 307
Lume di luna 95
Λύχνος 104

Maggio desiderio di morte 279
Maledizione 113
Mano ignota 122
Mascherata di peschi 333
Maternità 326
Mattino 149, 310
Messaggio 295
Minacce 186
Minacce di temporale 346
Morte delle stelle 137
Morte di una stagione 301
Muffe sotto vetro 339

Nàufraghi 180
Nebbia 303
Nel duomo 47
Nevai 184
Neve 70
Neve sul Grappa 182
Ninfee 130
Non so 154
Nostalgia 63
Notte 296
Notte di festa 270
Notte e alba sulla montagna 150
Notturno 127, 264
Notturno invernale 39
Novembre 36

Odor di verde 192
Odore di fieno 10
Offerta a una tomba 4
Ora intatta 248
Ora sospesa 253
Ottobre 261

Pace 13
Paesaggio siculo 115
Pan 308
Paura 75
Pausa 206
Pensiero 185
Pensiero di malata 121
Per Emilio Comici 311
Periferia 277, 306
Periferia in aprile 285
Per un cane 139
Pianura 190
Pianure a maggio 237
Portofino 278
Prati 68
Precoce autunno 257
Preghiera 76
Preghiera alla poesia 191
Presagio 37
Presentimenti di azzurro 338
Primizie di stagione 335
Pudore 91

Radici 226
Radio 247
Respiro 119
Riconciliazione 168
Ricongiungimento 322
Riflessi 146
Rifugio 189, 275
Rinascere 193
Risveglio notturno 66
Ritorni 9
Ritorno serale 156
Ritorno vespertino 31
Rossori 53

Salire 181
Salita 267
S. Maria in Cosmedin 101

Saresti stato 324
Scampagnata 347
Scena unica 89
Secondo amore 199
Sentiero 188
Sera 94
Sera a settembre 299
Sera d'aprile 52
Sera sul sagrato 166
Servire 312
Sete 288
Settembre 132
Sfiducia 155
Sgelo 243, 263
Sgorgo 215
Smarrimento 233
Sogno dell'ultima sera 59
Sogno nel bosco 83
Sogno sul colle 84
Sole d'ottobre 158
Solitudine 108, 349
Sonno 81
Sonno e risveglio sulla terra 292
Sorelle, a voi non dispiace... 38
Spazioso autunno 266
Stanchezza 229
Stelle cadenti 159
Stelle sul mare 103
Sterilità 87
Strada del Garda 143
Sul ciglio 260
Sventatezza 8

Tempo 250
Tramonto 78
Tramonto corrucciato 3
Tre sere 196
Treni 289
Tristezza dei colchici 134

Ultimo crepuscolo 353
Un'altra sosta 5
Un destino 224
Unicità 92

Vaneggiamenti 19
Venezia 161
Verginità 281
Vertigine 24
Via dei Cinquecento 309
Viaggio al nord 284
Vicenda d'acque 30
Voce di donna 300
Voli 232
Voto 329

Indice

Prefazione *di Alessandra Cenni* V

Tramonto corrucciato 3
Offerta a una tomba 4
Un'altra sosta 5
Amore di lontananza 6
Distacco 7
Sventatezza 8
Ritorni 9
Odore di fieno 10
Giacere 11
Innocenza 12
Pace 13
Filosofia 14
Lagrime 15
Canto selvaggio 16
Flora alpina 17
Canto rassegnato 18
Vaneggiamenti 19
Elegia 20
Fuga 21
Dolomiti 22
La discesa 23
Vertigine 24
L'erica 25
Alpe 26
Benedizione 27
Fantasia settembrina 28
Vicenda d'acque 30
Ritorno vespertino 31
Lago in calma 32

Largo 34
Novembre 36
Presagio 37
Sorelle, a voi non dispiace... 38
Notturno invernale 39
La porta che si chiude 41
In riva alla vita 43
L'orma del vento 45
Nel duomo 47
Domani 49
Sera d'aprile 52
Rossori 53
Esempi 56
La disgrazia 58
Sogno dell'ultima sera 59
Esilio 61
Nostalgia 63
Fede 64
Risveglio notturno 66
L'anticamera delle suore 67
Prati 68
Grido 69
Neve 70
Errori 71
Deserto 72
Gioia 73
Limiti 74
Paura 75
Preghiera 76
Giorno dei morti 77
Tramonto 78
In un cimitero di guerra 79
Crepuscolo 80
Sonno 81
Sogno nel bosco 83
Sogno sul colle 84
Disperazione 86
Sterilità 87
Scena unica 89
Luce bianca 90

Pudore 91
Unicità 92
Alba 93
Sera 94
Lume di luna 95
I fiori 96
Il porto 98
S. Maria in Cosmedin 101
Così sia 102
Stelle sul mare 103
Λύχνος 104
L'Anapo 106
Solitudine 108
Lamentazione 109
Canzonetta 111
Maledizione 113
Gli eucalipti 114
Paesaggio siculo 115
I musaici di Messina 116
Acqua alpina 118
Respiro 119
Pensiero di malata 121
Mano ignota 122
Il volto nuovo 123
Cervino 125
Attendamento 126
Notturno 127
Distacco dalle montagne 128
Ninfee 130
Ai fratelli 131
Settembre 132
La roccia 133
Tristezza dei colchici 134
Amore dell'acqua 135
La grangia 136
Morte delle stelle 137
Giardino chiuso 138
Per un cane 139
La fornace 141
Strada del Garda 143

Barche 144
Il cane sordo 145
Riflessi 146
Attacco 147
In sogno 148
Mattino 149
Notte e alba sulla montagna 150
Bontà inesausta 152
Non so 154
Sfiducia 155
Ritorno serale 156
L'armonica 157
Sole d'ottobre 158
Stelle cadenti 159
Venezia 161
Ammonimento 162
Cimitero di paese 164
Sera sul sagrato 166
Riconciliazione 168
All'amato 170
La morte bionda 172
Il cielo in me 173
La voce 176
Cose 178
Fiume 179
Nàufraghi 180
Salire 181
Neve sul Grappa 182
Desiderio di cose leggere 183
Nevai 184
Pensiero 185
Minacce 186
Incredulità 187
Sentiero 188
Rifugio 189
Pianura 190
Preghiera alla poesia 191
Odor di verde 192
Rinascere 193
Tre sere 196

Funerale senza tristezza 198
Secondo amore 199
Bellezza 201
Lieve offerta 203
Le mani 204
Pausa 206
Confidare 207
Le tue lacrime 208
L'ancora 210
Inverno lungo 211
Le strade 212
Annotta 213
Evasione 214
Sgorgo 215
Fuochi di S. Antonio 216
Echi 217
Il daino 218
Gelo 219
Atene 220
Africa 221
Il sentiero 222
Un destino 224
Radici 226
Abbandono 228
Stanchezza 229
Dopo la tormenta 230
Fiabe 231
Voli 232
Smarrimento 233
«Don Chisciotte» 234
Infanzia 236
Pianure a maggio 237
La sorgente 238
La notte inquieta 239
Creatura 240
Assenza 241
Esclusi 242
Sgelo 243
Fuga 244
Altura 245

La rampa 246
Radio 247
Ora intatta 248
Intemperie 249
Tempo 250
Convegno 252
Ora sospesa 253
Dopo 254
Brezza 255
Grillo 256
Precoce autunno 257
La vita 258
Leggenda 259
Sul ciglio 260
Ottobre 261
Le donne 262
Sgelo 263
Notturno 264
Incantesimi 265
Spazioso autunno 266
Salita 267
Approdo 268
Notte di festa 270
Commiato 272
a Emilio Comici 273
Rifugio 275
Periferia 277
Portofino 278
Maggio desiderio di morte 279
Come albero d'ombra 280
Verginità 281
Fine 282
In campagne di vento 283
Viaggio al nord 284
Periferia in aprile 285
Brughiera 286
Sete 288
Treni 289
L'ava 290
Fine di una domenica 291

Sonno e risveglio sulla terra 292
Amor fati 293
Bambino morente 294
Messaggio 295
Notte 296
I morti 297
Le montagne 298
Sera a settembre 299
Voce di donna 300
Morte di una stagione 301
La terra 302
Nebbia 303
Capodanno 304
Certezza 305
Periferia 306
Luci libere 307
Pan 308
Via dei Cinquecento 309
Mattino 310
Per Emilio Comici 311
Servire 312
Abbandonati in braccio al buio 313

LA VITA SOGNATA

La vita sognata 319
L'allodola 320
La gioia 321
Ricongiungimento 322
Inizio della morte 323
Saresti stato 324
Maternità 326
Il bimbo nel viale 327
Gli occhi del sogno 328
Voto 329

INEDITI

Mascherata di peschi 333

Cencio 334
Primizie di stagione 335
Cadenza esasperata 337
Presentimenti di azzurro 338
Muffe sotto vetro 339
La stazioncina di Torre Annunziata 341
Bambinerie in tinta chiara 342
Afa 344
La campana sommersa 345
Minacce di temporale 346
Scampagnata 347
Solitudine 349
Io, bambina sola 350
Lampi 351
Febbre 352
Ultimo crepuscolo 353
Da capo 354
Canto della mia nudità 355
Copiatura 356
Giorni in collana 357
Le mani sulle piaghe 358
Capriccio di una notte burrascosa 360
L'incubo 362
L'ora di grazia 365
Inezie 366
abbozzo 368
L'operaio delle luci 370
Note 371

Bibliografia 403

Indice alfabetico dei testi 413

Finito di stampare il 18 maggio 2001
dalle Industrie per le Arti Grafiche Garzanti-Verga s.r.l.
Cernusco s/N (MI)

L 65018023
PAROLE
1°EDIZIONE
ELEFANTI POESIA
ANTONIA POZZI
GARZANTI
LIBRI S.P.A
S 000001206